D0809901

Club
PASSION

Dans la même collection

JOAN ELLIOTT PICKART

LA LUNE BLEUE

PRESSES DE LA CITÉ
PARIS

Titre original :
THE MAGIC OF THE MOON

Première édition publiée par Bantam Books, Inc., New York, dans la collection Loveswept ®. Loveswept est une marque déposée de Bantam Books, Inc.

Traduction française de Paule Ithé

Prologue

JEREMY Harris appuya les poings au creux de son dos en se redressant sur le tabouret et se tourna d'un côté et de l'autre. Ses muscles crispés protestèrent et il grimaça.

Avec un soupir, il y renonça et croisa les bras sur sa table à dessin en regardant par la fenêtre. En cette soirée d'été, le soleil couchant dardait ses rayons à travers le ciel californien en une vibrante palette de pourpre, d'orange, de jaune et de rose.

Dans cette partie animée de Los Angeles, c'était l'heure où les gens rentraient chez eux et Jeremy se demanda combien d'entre eux remarqueraient ce magnifique spectacle.

« Peu, certainement » se dit-il.

Lui-même n'aurait pas cessé consciemment son travail pour contempler ce coucher de soleil. Comment aurait-il pu gaspiller de précieuses minutes pour admirer ce don de la nature alors que le temps lui manquait. Aujourd'hui comme hier ou dans l'avenir.

« Quand donc a commencé cette frénétique

course contre la montre? » se demanda-t-il.

Depuis quand avait-il la sensation qu'une journée ne comptait pas assez d'heures pour accomplir toutes ses tâches? Quand avait-il commencé à modifier ses priorités? A présent, il se concentrait presque uniquement sur son travail pour laisser dans l'ombre les autres aspects de sa vie. Depuis combien de temps s'était-il arrêté dans le seul but de contempler un coucher de soleil?

Dégoûté, il secoua la tête. Un observateur attentif aurait pu lire dans ce geste du regret. Ce n'en était pas. S'il travaillait dur, c'était par choix. S'il allait jusqu'aux limites de lui-même, c'était pour atteindre les buts qu'il s'était fixés depuis longtemps. Ces buts étaient une réalité parce que « Harris et Cooper, architectes » en étaient une.

Sauf que Cooper n'était plus là. Jeff était mort, depuis bientôt deux ans.

– Encore au travail, je vois, fit une voix.

Surpris, Jeremy sursauta. Un homme se tenait devant sa porte ouverte dans l'entrée faiblement éclairée. Pendant un bref instant, la silhouette sombre lui parut étrangement familière, comme si l'évocation de Jeff avait pu le faire apparaître. Puis l'homme pénétra dans le bureau et Jeremy laissa échapper un soupir, honteux de sa stupidité.

– Bonsoir, Bill, lança-t-il à l'individu grisonnant. Oui, je suis là, mais la bonne question serait plutôt, pourquoi êtes-vous là? Vous êtes censé être à moitié en retraite; vous devriez être chez vous, à cette heure-ci.

8

Lentement, l'homme traversa le bureau luxueusement meublé pour aller regarder par la baie vitrée. Les derniers rayons du soleil s'évanouissaient et les couleurs se mélangeaient comme du beurre fondu.

— Cette ville, fit Bill en se tournant vers Jeremy, fonctionne sur un autre rythme, le soir. Un rythme qui suscite en l'homme ce qu'il y a de mal, joue sur la faiblesse de l'innocent en lui offrant des choses qu'on ne devrait pas avoir. Il...Assez. Tu n'as pas besoin de m'entendre prêcher comme un orateur de bas étage.

— Je comprends ce que vous voulez dire, Bill, mais soyez juste. Je sors le soir, tout comme vous. Chaque homme est responsable de ses choix. Jeff avait beaucoup bu, la nuit où il est mort et il conduisait sa voiture de sport bien plus vite que permis sur cette route côtière. Aucune force invisible ne l'a poussé avec Suzanne par-dessus cette falaise.

— Mon fils est mort, Jeremy, soupira Bill. Parfois, je ne peux pas encore y croire. S'il était devenu médecin, comme nous l'avions prévu il y a des années, s'il avait exercé et pris la responsabilité d'autres vies humaines, il n'aurait pas joué avec la sienne. Je sais, je sais, poursuivit-il avec un geste de la main, Jeff m'avait dit depuis longtemps qu'il ne voulait pas suivre mes traces, mais jusqu'à ce jour, je crois fermement que s'il l'avait fait, il serait toujours en vie.

— Vous ne pouvez pas en être aussi sûr. Écoutez, changeons de sujet. Ce n'est pas une liste de

« peut-être » et de « si seulement » qui lui rendra la vie.

– Tu as raison, excuse-moi. Je pleurniche rarement ainsi, je n'ai pas pour habitude de m'apitoyer sur moi-même pour la perte de mon enfant unique. Grâce à toi, j'ai un but dans la vie. A la mort de ma femme, je me suis consacré à Jeff; il était si petit. Alors... Eh bien, lui disparu, je ne voyais plus l'intérêt de continuer à pratiquer la médecine. A quoi sert un héritage si l'on ne peut pas le transmettre? Mais il y a un an, tu m'as tiré de là.

– Oui, fit Jeremy en descendant du tabouret.

Il tourna la tête dans un sens puis dans l'autre dans l'espoir de détendre ses muscles douloureux.

– Voulez-vous du café?

– Non, merci. Je suis venu te parler de quelque chose qui m'inquiète.

– Ah?

Après s'être versé une tasse de café, Jeremy se tourna vers son interlocuteur, le dos au bar.

– Comme tu le sais, je suis le médecin du travail de six sociétés dans l'immeuble. Tu as maintenant quinze employés chez Harris et Cooper, et tous ont passé avec succès la visite médicale annuelle. Sauf l'un des plus hauts placés.

– Ah bon? s'exclama Jeremy en posant sa tasse. De qui parlez-vous? Et qu'est-ce qui ne va pas?

– Laisse-moi parler. Écoute seulement les faits, sans nom. C'est trop facile de rationaliser cause et

10

effet quand on sait qui est concerné. C'est un homme de trente-cinq ans, d'un mètre quatre-vingts et de quatre-vingt-dix kilos environ, musculature excellente, sans excès de poids. Il ne fume pas, boit modérément. Pourtant, il montre de très importants signes de fatigue et de stress.

Avançant d'un pas, Jeremy croisa les bras et l'interrompit, le regard souriant.

— Continuez, Bill. Dites-moi tout... sur moi-même.

— J'aurais dû être moins précis dans ma description. Maintenant, tu vas être sur la défensive. Oui, Jeremy, c'est de toi dont je parle. Pour utiliser un langage actuel, je dirais que tu es stressé. Tes muscles sont noués, tu souffres de migraine en permanence, tu es incapable de te détendre suffisamment pour dormir correctement. Tu manges sur le pouce et te dopes au café. Tu commences à avaler des cachets pour calmer les protestations de ton estomac. Depuis des mois, tu n'as pas pris un seul jour de congé et voilà des semaines que tu n'as pas mis un pied à ton club de gym. C'est grave, Jeremy, et il est temps de faire quelque chose.

— Ca suffit, Bill, fit-il d'une voix tranchante. Je ne vous ai jamais parlé de mes migraines. Vous m'avez reconnu apte au travail et vous le savez.

— Tu as raison. A part une tension un peu élevée, tu es en forme. Mais j'ai constaté à quel point tu étais perturbé, c'est pourquoi je t'ai invité à déjeuner, après l'examen. Nous avons eu une conversation intéressante, si tu veux bien t'en souvenir.

– Vous m'avez agacé. J'ai pris deux aspirines au cours du repas et... Bon sang, vous m'avez fait tout un numéro.

– Tu t'énerves facilement.C'est un autre signe de stress. Je ne joue pas avec toi, Jeremy. Ton corps crie merci et tu ferais mieux de l'écouter. Ce n'est pas parce que tu es jeune et en en bonne santé que tu échapperas aux conséquences de la vie que tu t'imposes actuellement.

Sur le point de répliquer vertement, Jeremy hésita.

– D'accord, fit-il enfin. J'en fais trop. Mais cette société grossit en taille et en réputation, Bill, et ça ne se fait pas tout seul. C'est à moi de maintenir le niveau d'excellence qui nous a fait connaître; j'en suis responsable.

– Tu n'as engagé que les meilleurs sur le marché, mais tu ne leur fais pas confiance. Tu ne te délègues pas. Le degré de stress que tu as atteint peut te tuer, Jeremy.

Les mains dans les poches, ce dernier fixa un moment le plafond, conscient d'avoir les nerfs à vif. Sa tête résonnait comme un tambour.

– C'est bon. Vous êtes un tricheur, Bill, mais vous avez gagné. Que voulez-vous que je fasse ?

Il sortit de sa poche une carte de visite.

– Ce médecin est un psychologue spécialisé en stress dû au travail.

– Eh bien! s'exclama Jeremy, vous allez un peu loin. Je n'ai pas besoin d'un psy pour me dire de freiner un peu.

– Je ne te demande pas de suivre une analyse.

Vas-y demain après les heures de bureau pour une discussion amicale. Je t'en prie, Jeremy, fais-le pour moi, comme pour toi.

– C'est bon, j'irai, lança-t-il en lui arrachant la carte des mains. Vous êtes vraiment un enquiquineur, parfois. Partez, j'ai du travail.

– Je te laisse à ta folie, répliqua Bill en se dirigeant vers la porte.

Soudain, il s'arrêta.

– J'oubliais. Ton ami détective m'a téléphoné. Celui qui s'est occupé du cas de Mildred Fairchild.

– Je suis content que Vince Santini soit de retour après tous ces mois passés en Italie. Mildred Fairchild est la mère de la jeune fille qui était en voiture avec Jeff, n'est-ce pas?

– Oui. Et tu sais qu'elle a eu une dépression nerveuse à la mort de Suzanne. Elle a menacé de te tuer, de me tuer, de même que le patron du café qui avait servi Jeff, Vince Santini et quelques autres personnes. Depuis l'accident, elle était internée en centre hospitalier.

– Je suis au courant.

– Eh bien, elle a été déclarée saine d'esprit et on l'a laissé partir hier! Ne pouvant pas te joindre, Vince m'a appelé pour me dire que les médecins ne la considéraient plus comme dangereuse, mais que nous avions le droit de savoir qu'elle n'était pas tout à fait nette. Je lui ai dit que je t'en informerais. J'espère que les médecins savent ce qu'ils font. Bonsoir, Jeremy.

Comme Bill sortait du bureau, Jeremy jeta un coup d'œil sur la carte qu'il tenait en main.

– Hé! cria-t-il, Cooper, espèce de vaurien. Vous ne m'aviez pas dit que ce psy est *une femme!*

Furieux, il lut la carte. Dr Chloé Barlow Psychologue. Diable! Quel besoin avait-il qu'une snobinarde lui conseille de réduire sa charge de travail et ses tasses de café. Et il le ferait comprendre à ce Dr Chloé Barlow, dès les premières minutes de leur conversation.

Dix minutes. C'était ce que durerait cet unique entretien.

– C'est comme ça! déclara-t-il en fourrant la carte dans sa poche.

I

CHLOÉ Barlow quitta son bureau pour se diriger vers la réception. Décorée dans des tons bourgogne et bleu, la pièce était meublée de plusieurs chaises confortables, de deux tables basses d'un côté et d'un bureau de l'autre. Un homme d'une trentaine d'années, le cheveu blond, des lunettes sur le nez, y était assis. Ses doigts semblaient voler sur le clavier de sa machine à écrire. A l'entrée de Chloé, il s'arrêta pour lui sourire.

– Voici la fiche de Mme Mattingly, James, dit-elle en la déposant dans une corbeille.

– Vos notes sont-elles prêtes à être tapées?

– Oui, mes pattes de mouche sont là. Je suis toujours surprise que vous puissiez me déchiffrer.

– Il est vrai que c'est assez redoutable. Ajoutez à celà que vous êtes handicapée, orthographiquement parlant, et nous en arriverons à cette conclusion mutuelle que je mérite une augmentation.

– Handicapée orthographiquement parlant? s'esclaffa-t-elle. J'adore ça! la prochaine fois qu'un type me drague, je le regarde droit dans les yeux et je lui dis : « A vos risques et périls. Je suis handicapée orthographiquement parlant. » On dirait une terrible maladie contagieuse et ça fait beaucoup plus d'effet que d'être nulle en orthographe. Vous avez été augmenté le mois dernier, reprit-elle après une pause.

— Moi? fit James en se frappant la poitrine. Ah? Peut-être. J'avais dû l'oublier.

— Vous avez bien fait d'essayer; ça aurait pu marcher. Allez-y, maintenant. Moi, je dois rester pour recevoir M. Jeremy Harris qui ne devrait pas tarder à arriver.

— Un nouveau patient? Je n'ai pas préparé de fiche pour lui.

— Non, pas un patient. C'est un ami commun, le Dr Bill Cooper, qui me l'envoie pour un entretien amical. D'après Bill, M. Harris n'est pas très heureux à cette idée. En fait, moi non plus. En d'autres circonstances, j'aurais refusé de recevoir ce récalcitrant personnage. J'ai l'impression que nous le faisons tous deux parce que nous aimons beaucoup Bill et que nous voulons surtout pas décevoir son amitié.

— Vous n'en tracez pas une belle image, sage et merveilleux Dr Barlow. Vrai patient ou pas, qui vient ici contre sa volonté est un enquiquineur.

— C'est poliment dit, soupira-t-elle. Allez, à demain.

— Madame, je vais finir cette fiche avant de partir.

— Assez de « madame », James. Vous venez d'être augmenté.

– On peut toujours essayer... Madame.

Riant doucement, Chloé retourna dans son bureau dont elle apprécia, comme toujours, l'atmosphère accueillante. Elle avait utilisé les mêmes tons de bourgogne et bleu, comme dans l'entrée, avec des meubles de bois sombre.

Le soleil entrait à flots par la large fenêtre derrière son bureau. Le long d'un mur se trouvaient un divan et une table basse. Devant son bureau, deux fauteuils, non loin de l'aquarium encastré où paressaient plusieurs espèces de poissons tropicaux.

Chloé traversa la pièce pour venir le contempler. Il était si bien réalisé que l'on devinait à peine à quel endroit on pouvait ouvrir les portes pour nourrir les poissons et nettoyer l'aquarium.

– Hé, les gars, fit-elle en tapotant la paroi, comment ça va, l'Atlantide ?

Sourcils froncés, Jeremy lut le nom, maintenant familier, sur la solide porte en bois. Dr. Chloé Barlow, psychologue. Super. Il aurait préféré être chez le dentiste, or il détestait y aller. Ce bon docteur devait demander des honoraires exorbitants, vu sa prestigieuse adresse, boulevard Wilshire, et l'aspect de l'immeuble. La décoration du hall d'entrée était élégante et luxueuse, et les parois de l'ascenseur, qui l'emmenait au sixième étage, étaient recouvertes de miroirs fumés veinés d'or.

Dans l'entrée, il avait vu sur les plaques que des juristes, des comptables, des psychologues et des psychiatres y avaient leurs bureaux. Tous devaient prendre le même type d'honoraires pour pouvoir payer leur loyer.

Mais comme l'immeuble n'avait pas été conçu par Harris et Cooper, il s'écroulerait sans doute dans l'année. Ainsi en décida-t-il silencieusement.

Bien que détestable, cette pensée cadrait parfaitement avec son humeur de chien.

« Dix minutes. Maximum. C'est ce que durera mon entretien avec Chloé Barlow. »

Après avoir ouvert la porte, il entra et examina immédiatement les lieux. Mentalement, il posa des étiquettes de prix sur le luxueux mobilier. Enfin, son regard se posa sur un jeune homme assis derrière un bureau.

– Puis-je vous aider, monsieur? demanda celui-ci.

Lentement, Jeremy traversa la pièce.

– Jeremy Harris. Qui êtes-vous? fit-il, revêche.

– James. Je suis le secrétaire du Dr Barlow.

– Vous êtes son secrétaire? Pourquoi?

– Pourquoi? Parce que je suis doué pour ça et que j'aime ce genre de travail. Asseyez-vous, monsieur Harris, je vous en prie. Je vais informer le Dr Barlow de votre arrivée, dit-il en saisissant le téléphone.

– Attendez, lança Jeremy. A quoi ressemble ce Dr Barlow? Une prétentieuse, non? Du style je-sais-tout, hein? Une féministe, bien sûr. Prendre un homme comme secrétaire est une affirmation de sa supériorité sur la gent masculine. Magnifique. Disons huit minutes, pas dix.

– Pardon?

– Rien. Dépêchez-vous, je suis pressé.

– Oui monsieur.

De nouveau, il prit le téléphone.

– Oui, fit Chloé à l'autre bout du fil.

– M. Harris est là.

– Se montre-t-il hostile?

– Exactement.

– Bon. Je serai courageuse et hardie. Faites-le entrer.

– Bien madame.

Après avoir raccroché, il se leva.

– Voulez-vous me suivre?

– Comment? Oh, bien sûr, fit Jeremy, arraché à la contemplation d'une toile.

« Barlow pratique des honoraires plus qu'excessifs. Ce tableau est un original. La moitié de ses patients doivent être des femmes blasées de la haute société. Cela fait bien de parler de son analyste en sirotant un cocktail au club après une partie de tennis. Quelle farce. Je vais ramener ça à six minutes! » James ouvrit une porte et s'effaça.

– Entrez, monsieur Harris.

– Merci, petit, grommela-t-il d'un ton bourru.

Le « petit » devait avoir environ cinq ou six ans de moins que lui, mais si Barlow avait entendu, elle comprendrait qu'il était de mauvaise humeur.

Dès que la porte se fut refermée derrière lui, l'attention de Jeremy se trouva immédiatement attirée par l'énorme aquarium encastré dans la paroi.

19

« Oh, formidable, songea-t-il. Celui qui a conçu le mur pour encastrer le réservoir a fait un magnifique travail. »

– Bonsoir, monsieur Harris.

Au son de cette voix douce et féminine, Jeremy tourna la tête. En un seul regard, il dévisagea et mémorisa chaque centimètre carré de la femme qui se trouvait derrière le bureau. Une vague de chaleur inattendue le submergea et son cœur se mit à battre violemment.

Une pensée lui retentissait à l'esprit. Une psychologue ne ressemblait pas à cela.

Chloé Barlow était belle. Incroyablement belle. Grande et svelte, le visage délicat aux grands yeux bruns, elle avait attaché ses cheveux blonds en chignon sur la nuque.

« Sont-ils longs quand ils sont détachés ? » se demanda-t-il.

Son regard descendit et il vit que sa silhouette était parfaite. Une poitrine ferme, la taille mince et de très longues jambes satinées.

Vêtue d'une jupe blanche évasée à large ceinture noire, elle portait un chemisier de soie noire à petits points blancs.

Dire qu'il avait gâché le mot « formidable » pour un aquarium !

Devant lui se tenait une femme formidable, étonnante.

La vague de chaleur qui l'avait submergé à sa vue se concentrait maintenant au plus profond de lui-même. Jamais il n'avait éprouvé une réaction sensuelle aussi instantanée devant une femme.

– Monsieur Harris? Voulez-vous vous asseoir?

Sur un hochement de tête, il alla prendre place devant le bureau.

Elle-même se rassit sur son fauteuil de cuir.

« Pourquoi ai-je fait cela? » se demanda-t-elle.

Habituellement, elle allait serrer la main de son patient *devant* le bureau puis repartait lentement pour décider où s'asseoir pour que la personne soit le plus à l'aise. Jeremy Harris n'était même pas un patient et il n'y avait aucune raison pour qu'elle soit en position de force vis-à-vis de lui.

Mais tandis qu'il avançait vers elle, elle avait reculé comme un animal craintif, traqué par un grand chat déterminé. C'était l'un des hommes les plus séduisants et les plus masculins qu'elle ait jamais vus.

Grand, de large stature, les hanches étroites, il possédait de longues jambes que l'on devinait musclées sous le pantalon gris. Sa chemise verte, accompagnée d'une cravate à motifs, s'harmonisait parfaitement à ses yeux. Son costume devait avoir été fait sur mesure pour s'adapter à ses vastes épaules.

Et son visage! Fortement hâlés, ses traits taillés à la serpe n'avaient rien de ceux d'un joli garçon. Le nez droit, la mâchoire carrée, sa tête surmontée d'épais cheveux d'un noir d'encre était la plus belle qu'elle eut jamais contemplée.

Et ses lèvres! Comment un homme aux traits ciselés dans la pierre pouvait-il avoir des lèvres aussi douces, aussi sensuelles, aussi désirables?

« Est-ce le bruit de mon cœur qui résonne dans mes oreilles? » s'étonna-t-elle.

Cela ne lui était jamais arrivé. Jamais elle ne réagissait à un homme, un inconnu, sur un instinct aussi charnel. Apparemment son corps l'avait oublié. Jeremy Harris la perturbait profondément et l'onde de chaleur qui se propageait en elle en était bien la preuve.

— Ainsi, fit-elle d'un ton un peu trop enthousiaste, nous avons un ami commun en la personne de Bill Cooper.

— On le dirait.

La voix de la jeune femme était chaude et rauque. Imaginer son nom chuchoté par cette voix, dans les affres de la passion!

— Son fils, Jeff, était mon associé.

— Jeff et moi avons souvent joué ensemble, étant petits, mais je ne l'avais pas revu depuis plusieurs années lorsqu'il est mort. Le Dr Cooper et mon père étaient des amis très proches depuis leurs études de médecine. Bill a été complètement détruit par la mort de Jeff.

— Je sais. Jusqu'où vont vos cheveux?

— Je vous demande pardon? fit-elle.

Les bras sur les accoudoirs, les mains jointes, Jeremy répéta :

— Vos cheveux. Je me demandais jusqu'où ils allaient.

— Cela ne vous regarde pas, monsieur Harris. Venons-en à nos affaires.

— Je m'appelle Jeremy, déclara-t-il avec un lent sourire. Je serais heureux d'en venir à nos... affaires, docteur, mais puisque je ne suis pas un patient, pourquoi n'irions-nous pas dîner quelque part? Nous pourrons parler, faire connaissance. Oh, et puis par respect pour Bill, nous aborderons deux minutes le sujet du stress. D'accord?

« Ça devrait être interdit, se dit Chloé. Jeremy Harris ne devrait pas avoir un sourire aussi charmeur et séduisant, et des dents aussi blanches, en plus du reste. Vraiment, ça devrait être interdit. »

Aller dîner avec lui ? Dans un restaurant intime et romantique? Non. Sa réaction sensuelle envers Harris était trouble et la mettait mal à l'aise. Elle avait l'habitude de décider elle-même de son attitude envers un homme. Or Jeremy semblait pousser des boutons sexuels qu'elle ne savait même pas posséder.

— Merci, mais non. Je n'ai pas envie d'aller dîner. Comme vous l'avez dit, par respect pour Bill, nous devrions discuter du sens de votre venue ici. Il m'a dit que vous étiez fatigué et stressé.

— Rien que je ne puisse régler moi-même. Ne me refusez pas ce dîner.

« Si elle refuse, voilà que je suis coincé ici, derrière ce bureau qui nous sépare, car je n'ai aucune intention de la quitter. Chloé Barlow est belle, elle m'intrigue, et je voudrais bien passer du temps avec elle. Mais pas à discuter de stress. »

— J'aime beaucoup votre aquarium encastré. Qui a conçu ce mur?

— C'est moi, monsieur Harris.

— Jeremy.

— D'accord, Jeremy, vous ne semblez pas comprendre à quel point le stress peut être dangereux. Il peut tuer. Malheureusement, peu de gens ont conscience des effets que ce fléau peut avoir sur l'esprit et le corps. Je suis spécialisée dans le stress dû au travail, avec des méthodes personnalisées selon les individus.

— Bravo. Vous avez vraiment élaboré ce mur? Je suis impressionné. Avez-vous déposé un brevet ou puis-je le copier?

Les dents serrées, Chloé essaya de rassembler sa patience et plaqua sur son visage un sourire jaune.

Non seulement Jeremy lui causait des difficultés au niveau relationnel mais il était aussi une menace, du point de vue professionnel. Elle avait failli se mettre à hurler pour qu'il arrête d'éviter de parler de son problème et qu'il l'écoute enfin. Elle! Se mettre à hurler dans son bureau. Quelle image horrible. Jeremy Harris était une menace.

— Écoutez, dit-elle, si ce n'est pas pour vous, faisons-le pour Bill Cooper, mais essayons d'accomplir quelque chose. Il est très inquiet. Il semble que vous fassiez tout votre possible pour ne pas discuter de stress. Pourquoi?

Sur le point d'ignorer la question, Jeremy se ravisa. Un long moment, il regarda Chloé puis se pencha en avant, sourcils froncés.

— Vous avez raison. Je ne veux pas aborder ce sujet. Je crois que je suis en colère parce Bill a mis le doigt sur le point sensible. Je n'ai pas le temps d'en entendre parler, pas le temps de changer mon mode de vie. Plus tard peut-être, mais pas maintenant. Je suis venu là pour faire plaisir à

Bill et qu'il me lâche un peu. Et puis en vous voyant, j'ai décidé que j'aimerais vraiment vous connaître mieux... aussi bête que cela paraisse. Mais je crois que je m'y suis mal pris.

Les mains sur les cuisses, il se redressa.

– Je m'en vais.

– Non, Jeremy. Ne faites pas cela. Le stress, ce n'est pas si difficile, une fois qu'on a compris d'où il venait. Le travail est-il plus important que votre santé, que votre vie, peut-être? Voulez-vous y réfléchir pendant une minute?

Le regard plongé directement dans les grands yeux bruns de Chloé, Jeremy éprouva une émotion qui disparut avant qu'il ait pu l'identifier. De nouveau, il se sentit inondé de chaleur.

La voix de la jeune femme s'était faite suppliante pour lui demander de rester, comme si elle se souciait vraiment de lui. Un truc du métier? Un peu de savoir-faire psychologique lié à une longue expérience? Donner au patient l'impression d'être important, qu'on se soucie de lui. Bien sûr, c'était cela. C'était le médecin, qui avait parlé, pas la femme. Et pour une raison inconnue, il en fut déçu.

– Vous avez besoin de quelques patients de plus pour vous aider à payer le loyer?

Arrachant son regard du sien, elle fixa ses mains, fermement accrochées au bord du bureau.

En le priant de rester, de prendre garde aux signaux que lançait son corps, ses paroles n'avaient rien eu à voir avec la psychologue. C'était Chloé, la femme, qui s'était exprimée.

Qu'est-ce qui, dans cet homme, l'amenait à perdre son professionalisme? Elle avait senti monter en elle le désir, était restée immobile sous son regard et l'avait supplié de rester.

Dieu, que c'était effrayant.

Tournant la tête, elle vit Jeremy de profil, face à l'aquarium, les poings sur les hanches. Un frisson la parcourut.

– Je n'aurais pas dû dire ça, constata-t-il en regardant droit devant lui. Que vous aviez besoin de clients pour payer le loyer. Excusez-moi. Je sais bien qu'en tant que médecin, il est de votre devoir de faire tout votre possible pour aider les gens. C'est ce que vous êtes censée faire. Exact? acheva-t-il en se tournant vers elle.

– Oui, acquiesça-t-elle, mais...

Il ne savait pas que c'était la femme qui s'était exprimée et non la psychologue. Heureusement, d'ailleurs. Son orgueil restait intact.

– Mais? insista-t-il.

– Rien. Dommage. Il avait espéré qu'elle allait en dire plus; que les paroles qu'elle avait prononcées n'étaient pas une phrase type déjà utilisée cent fois sur des patients récalcitrants. Et pourquoi cela lui importait-il ainsi?

Distraitement, il se passa le dos de la main sur le front.

– Vous avez mal à la tête?

Vivement, il arrêta son geste.

– Je connais vos symptômes, Jeremy, parce que Bill m'en a parlé. Vous souffrez d'un gros stress. Votre corps vous fait savoir qu'il a atteint le point de saturation. Maintenant, il faut choisir : la balle est dans votre camp. Vous pouvez continuer ainsi en faisant semblant d'être invincible jusqu'à ce que vous payiez l'addition. Ou bien vous pouvez prendre des dispositions dès à présent pour redresser une situation qui vous échappe rapidement. A vous de voir, Jeremy.

– Oui, c'est à moi, fit-il en se tournant de nouveau vers les poissons.

Qu'était-il arrivé à son vœu de limiter l'entretien à dix minutes, puis huit, puis six ? Chloé Barlow.

Enfonçant les mains dans les poches, il enroula machinalement les doigts autour des tubes d'aspirine et de cachets pour l'estomac.

« C'est vrai, songea-t-il, ces choses-là me sont devenues nécessaires et j'ai toujours besoin d'être sûr que j'en ai en quantité suffisante et à portée de main. Cela est vrai maintenant ; mais d'ici quelques temps, je vais ralentir, travailler moins. D'autre part, si je refuse de coopérer avec Chloé, elle va me montrer la porte. »

Et cela c'était impossible. C'était *lui* qui déciderait de rester ou de s'en aller. La situation ne demandait qu'un peu d'ingéniosité.

Sortant les médicaments de sa poche, il les posa sur le bureau de Chloé.

– J'abandonne. J'agite le drapeau blanc. Je suis tout à vous, docteur Barlow.

A ces mots, le cœur de Chloé fit un drôle de petit saut qu'elle préféra ignorer. En revanche, elle ne put s'empêcher de sourire.

– Vous êtes décidé? Vous allez reprendre votre vie en main, suivre mon traitement?

Leurs regards se croisèrent.

– Oui. Ca ne m'emballe pas, vous comprenez, mais...oui.

D'un bond, elle se leva pour faire le tour de son bureau.

– Oh, Jeremy, je suis si contente. Je... C'est vrai.

Tout en fixant les yeux verts, son sourire disparut.

– Pourquoi? souffla-t-il d'une voix rauque.

– Parce que je...

Parce qu'elle voulait qu'il ne lui arrive rien de mal. Parce qu'elle ne pouvait plus réfléchir quand il la regardait comme cela. Parce que...Oh, parce que.

Levant la main, il lui passa le pouce sur les lèvres.

– Vous avez la bouche la plus désirable que j'ai jamais vue, murmura-t-il en s'approchant.

Lentement, il baissa la tête vers elle.

– Je vais devenir fou si je ne vous embrasse pas, Chloé Barlow.

Non! hurla son esprit.

– Oh, fut tout ce qu'elle put dire.

De ses deux mains, Jeremy lui encadra le visage et l'embrassa.

« Oui, songea-t-elle, ses longs cils baissés. Ses lèvres sont encore plus douces que je ne l'imaginais. »

Le désir s'installa en elle. La langue de Jeremy se fit doucement insistante et elle s'abandonna joyeusement.

28

Elle avait attendu ce baiser. Une heure? Un jour? Une vie? Peu importait puisqu'il avait lieu maintenant et que ce n'était comparable à rien de ce qu'elle avait connu.

« Doux nectar, rêva Jeremy. Ses lèvres ont été faites rien que pour moi et je les attendais depuis toujours. »

Ce baiser était le paradis.

Qui les mènerait tout droit en enfer s'il n'y mettait pas un terme maintenant. Son corps brûlait du désir de posséder cette femme exquise. A regret, il releva la tête, les mains toujours en coupe autour de son visage.

— Il faut que j'arrête, Chloé. Vous me mettez sens dessus dessous, docteur.

« Docteur? Qui? Oh, Seigneur! »

Ses yeux s'ouvrirent puis s'agrandirent d'horreur. Reculant d'un pas, elle obligea Jeremy à la lâcher et porta les mains à ses joues écarlates.

— Qu'est ce que je fais? Qu'est-ce que j'ai fait?

— Hé, nous venons d'échanger un baiser sensationnel. Ne vous mettez pas dans cet état.

— Je ne peux pas vous embrasser

Il sourit.

— Alors c'était bien imité. C'était un sacré baiser, docteur Barlow.

— Qui n'aurait jamais dû exister.

Jambes tremblantes, elle retourna vers son fauteuil et se laissa tomber sur le cuir confortable.

— Je ne peux pas croire que j'ai fait ça.

— Croyez-moi, vous l'avez fait. Ma libido est prête à vous signer une déclaration en ce sens.

Allez, Chloé. Vous réagissez outre mesure. C'était un baiser. Fantastique, d'accord, mais pas suffisant pour nous faire arrêter.

— Vous ne comprenez pas, Jeremy. Je suis un médecin, vous êtes mon patient. J'ai un niveau de professionalisme à maintenir. De toute ma carrière, je n'ai jamais rien fait d'aussi... Vous devriez peut-être consulter quelqu'un d'autre, spécialisé dans le stress.

— Pouah, fit-il en levant la main. Déjà, je ne suis pas votre patient. D'accord, vous n'avez pas à m'aider gratuitement, aussi échangerons-nous les services. Je vous dessinerai une maison ou quelque chose. Ça vous convient ? Je ne veux pas de rendez-vous réguliers avec un psychologue, Chloé. Pas question.

« Mais si, il lui faut des rendez-vous réguliers! » s'indigna-t-elle silencieusement.

— Très bien, s'entendit-elle répondre. Pas de rendez-vous réguliers. Cependant, vous comprendrez qu'il nous faut adopter des attitudes sérieuses. Excusez ma conduite, je vous assure que cela n'arrivera plus.

— Ça, c'est de la prétention, ricana-t-il.

— Jeremy!

— D'accord, d'accord. Pas de problème. Vous allez me « déstresser ». Comment procédons-nous?

— J'aimerais que vous ayez toujours sur vous un petit carnet dans les trois jours qui viennent. Au début de chaque heure, notez-y ce que vous faites. Je reprendrai contact avec vous vendredi.

– Compris.

– Et puis dès aujourd'hui, vous prendrez une heure chaque jour pour faire de l'exercice.

Son sourire réapparut.

– Intéressant. Quel genre d'exercice ? A l'extérieur ou...en chambre ? Hmm ?

– Faites-vous partie d'un club, monsieur Harris ? reprit Chloé, dents serrées.

– Oui.

– Alors, allez vous y entraîner une heure par jour.

– Compris. Vous êtes certaine de ne pas souffrir de stress, vous aussi ? Vous me semblez un peu crispée.

Reprenant les tubes de médicaments, il les posa devant elle.

– Tenez. Nous allons partager.

Vivement, il se pencha vers elle pour lui effleurer les lèvres.

– Comme le baiser que nous avons partagé.

Après quoi, il se dirigea vers la porte.

– A bientôt, Chloé. Nous sommes sur le même bateau, maintenant.

Il referma la porte sur lui.

– Nous sommes sur le même bateau, maintenant, répéta-t-elle faiblement. Mais que m'a donc fait cet homme ?

2

COMME elle entrait sous le patio, Chloé fut accueillie par les battements frénétiques de la queue d'un gros chien d'allure indéfinissable.

– Salut, Butch. Toujours aussi paresseux, je vois.

Un homme allongé sur une chaise longue tourna la tête vers elle en souriant.

– Ah, la grande psychologue vient rendre visite à son père. Tu remarqueras que je ne me suis pas levé non plus. Chez Butch et moi, la retraite est un art que nous adorons pratiquer. Janie sait-elle que tu es là? Elle va vouloir te garder à dîner.

– Je l'ai vue et l'ai convaincue que je n'avais besoin de rien. Depuis que j'ai douze ans, elle essaie de me faire grossir.

– C'est une bonne âme. Dieu sait comment nous aurions survécu sans elle, à la mort de ta mère. Assieds-toi, docteur Barlow, et explique-moi pourquoi tu sembles porter le poids du monde sur tes épaules.

Avec un soupir, elle s'assit sur une chaise de jardin.

– Tu me connais trop bien, docteur Barlow.

– Je t'aime et cela ne peux jamais être trop. Que se passe-t-il, Chloé?

– Rien. Tout. Oh, je ne sais pas.

Sur un nouveau soupir, elle secoua la tête.

– Le bureau d'un médecin est sacré, n'est-ce pas? Bien sûr. Quand on s'occupe d'un patient, on doit se conduire d'une façon strictement professionnelle. Sinon ce serait inconvenant vu mon titre, mon serment, ma réputation. En fait, ce n'est pas un patient mais... Non, il n'est pas un patient, alors pourquoi suis-je bouleversée?

– Je me demandais où tu voulais en venir. C'est donc d'un « il » qu'il s'agit. Inconvenant vu ton titre, ton serment, ta réputation. Ça fait prétentieux. Depuis quand es-tu prétentieuse?

– Prétentieuse! C'est ce qu'il m'a dit quand je lui expliquai qu'il n'y aurait plus... ce qu'il y avait eu.

Mal à l'aise, elle se racla la gorge.

– Je ne suis pas prétentieuse.

– Oh, je n'en sais rien. Apparemment le vote est de deux contre un pour l'instant.

– Veux-tu arrêter? C'est sérieux. Je suis très embêtée par ce qui s'est passé. C'est déshonorant.

– Ma fille, qu'as-tu fait? As-tu dansé nue sur ton bureau avec un type?

– Tu es fou, Jack Barlow. Je l'ai embrassé, c'est tout. Non, il m'a embrassée. Enfin, nous nous sommes embrassés. Ça n'aurait jamais dû arriver, acheva-t-elle en levant les bras au ciel.

– Il ne sait pas embrasser?

33

– Oh non, non, non, protesta-t-elle d'une voix soudain rêveuse. C'était merveilleux. Je n'ai jamais éprouvé de...

Elle cligna des yeux.

– Bon sang, papa, tu ne m'aides pas du tout.

– Oh, ma chérie, que puis-je te dire? Quel que soit cet homme, il t'a causé un choc. Tu ne peux pas te détendre un peu? Attendre que se déroule l'ordre naturel des choses?

– Ma façon de réagir n'a pas été naturelle.

– Crois-tu? Je pense que si. Nouvelle et différente pour toi, mais très naturelle. Quand j'ai rencontré ta mère, j'ai fait l'expérience de quelque chose que je ne connaissais pas. Mais je n'ai pas cherché à y échapper ni à nier ce que j'éprouvais pour Marilee. Arrête de me regarder en fronçant les sourcils.

Rêveusement, il se gratta le menton.

– Tu sais, je te suggère...

– Oui?

– De penser à fermer à clé la porte de ton bureau si tu décides de danser nue avec ce type, s'esclaffa-t-il.

Butch remua la queue avec exubérance.

– Au revoir, monsieur, je vous écrirai quand ils vous auront interné, fit Chloé en se relevant.

– Assieds-toi, dit-il en essayant de réprimer son fou rire. Bon, maintenant, soyons sérieux.

– Ne te fatigue pas, bougonna-t-elle.

– Tu as dit que cet homme n'était pas un patient?

– Non, pas vraiment. Nous avons commencé à

travailler sur un traitement antistress, mais pas officiellement. Bill Cooper me l'a envoyé parce qu'il est très inquiet de l'état de Jeremy. Ce dernier est venu me voir par respect pour Bill et j'ai accepté de le recevoir pour les mêmes raisons.

– Jeremy ?

– Jeremy Harris. Jeff Cooper était son associé.

– Ah, son nom me disait quelque chose. C'est lui qui a tiré Bill de sa dépression à la mort de Jeff. Bill ne voulait plus voir personne, avait même des tendances suicidaires. Jeremy l'a convaincu de travailler à mi-temps comme médecin du travail. Je dirais qu'il lui a littéralement sauvé la vie.

– Je n'en avais aucune idée. Je savais que Bill avait été complètement retourné par le décès de Jeff, mais je n'avais pas réalisé que... Jeremy a donc arrangé les choses pour Bill?

Jack hocha la tête.

– Jeremy est un homme très prévenant.

– Oui, souffla-t-elle.

Pendant un long moment, elle fixa le vide puis secoua la tête comme pour s'éclaircir les idées.

– Jeremy souffre aussi de stress de façon alarmante, papa.

– Aussi, pour payer la dette qu'il doit à son ami, Bill l'envoie chez la meilleure spécialiste de la ville, ma fille Chloé Marilee Barlow.

– Merci pour le compliment, mais cette spécialiste-là vient d'embrasser, comme il n'est pas permis, cet homme dépressif, souligna-t-elle d'un air navré.

— Ne sois pas aussi dure avec toi-même. Jeremy n'est pas ton patient, tu t'inventes des soucis. Comprends que tu n'as rien fait de plus que de te conduire en femme. Moi, je dis bravo.

— Je ne sais pas. Tout est si confus que je voudrais me mettre au lit pour dormir cinq ans de suite. Je crois que je vais rentrer prendre un bon et long bain de mousse.

— Bonne thérapie. Emporte un verre de vin dans la baignoire. Gâte-toi un peu, pour changer.

— C'est ce que je vais faire, conclut-elle en se penchant vers son père pour l'embrasser. Merci papa.

— Tiens-moi au courant, jeune femme.

— Il n'y aura rien de plus à te raconter. A mon avis, Jeremy Harris a oublié ce baiser en quittant mon bureau. Au revoir, papa.

— Alors, Butch, fit Jack dès que Chloé fut partie, combien paries-tu que Jeremy Harris n'a pas oublié ce baiser ?

Butch battit frénétiquement de la queue.

Avec un juron bien senti, Jeremy lança le crayon sur sa table à dessin et glissa du tabouret pour arpenter son grand bureau.

Chloé Barlow le rendait fou. On aurait dit un adolescent ayant volé un baiser derrière la grange. Un baiser n'était pourtant qu'un baiser !

Pas quand il était échangé avec Chloé Barlow.

Et ce n'était pas simple appétit masculin.

Les yeux dans le vide, il s'arrêta. Cette vérité le rongeait comme un mal de dents persistant. Des émotions inconnues l'avaient envahi lorsqu'il avait capturé la bouche de Chloé, goûté la douceur de ses lèvres, savouré la caresse de sa langue. Il en dégustait encore le tendre nectar.

Que diable lui faisait donc Chloé Barlow?

Sur un nouveau juron, il remonta le poignet de sa chemise pour consulter sa montre.

« Pour une fois, je devrais m'offrir un dîner décent et passer une heure à mon club de gymnastique » songea-t-il.

Pourquoi une personne souffrant de stress devait-elle suer une heure dans un club, à se torturer les muscles, il n'en avait pas la moindre idée. Cela lui semblait stupide, mais s'il ne le faisait pas, il aurait l'impression de mentir à Chloé.

Attrapant sa veste sur le dossier d'une chaise, il éteignit et se dirigea vers la porte à grandes enjambées.

— Tu me fais devenir fou, Chloé Barlow, lança-t-il à la pièce vide.

Trois heures plus tard, Jeremy sortait de l'ascenseur au quatorzième étage de l'immeuble où se trouvait son appartement, pour se traîner le long du couloir.

Sans l'ombre d'un doute, c'était un homme mort.

Cela faisait si longtemps qu'il ne s'était pas entraîné que cette heure lui avait paru durer deux siècles. Même après une très longue douche, sous l'eau la plus chaude possible, tout son corps criait encore merci. Si le Dr Chloé Barlow était soudain apparue devant lui, il lui aurait fait part avec plaisir de ce qu'il pensait de cette heure d'exercice.

Une fois chez lui, il se débarrassa immédiatement de ses vêtements sans prendre la peine d'allumer. Ses habits s'éparpillèrent derrière lui jusqu'à la chambre et il se laissa tomber nu sur le lit. L'instant d'après, il dormait profondément, sans avoir eu le temps de se demander s'il passerait la nuit à se tourner et se retourner dans tous les sens comme les semaines précédentes.

* *
*

— Bonjour, James, fit Chloé.

— Bonjour. Il y a du café tout prêt. On dirait que vous en avez besoin, répondit-il en la regardant.

— Je n'ai pas très bien dormi cette nuit. J'avais beaucoup de choses en tête. Que me réserve cette journée ?

— Bien des choses. Nous sommes mercredi. Vous avez une session cet après-midi avec le groupe de vétérans du Viêt-nam.

— Oui, c'est vrai.

— Quant à vos rendez-vous du matin, j'ai mis les fiches sur votre bureau.

— Merci.

Après s'être versé une tasse de café, Chloé s'installa et but une gorgée de ce qui, du moins l'espérait-elle, allait lui donner de l'énergie. Elle sut tout de suite que cela ne marcherait pas.

Avant même que la journée commence, elle était épuisée. Bien que la nuit lui eût semblé une éternité, elle avait à peine dormi trois heures.

Et c'était la faute de Jeremy Harris!

« Super, songea-t-elle. Quelle psychologue! Je blâme Jeremy alors que c'est moi qui suis incapable de contrôler mon mental. »

Elle avait eu l'impression qu'il était là, dans la chambre, durant cette interminable nuit. Elle avait entendu sa voix et son rire, vu son sourire et ses splendides yeux verts, désiré son corps magnifique.

Et le baiser?

Cet incroyable baiser, elle l'avait revécu encore et encore. Ce baiser, elle l'aurait voulu sans fin. Ce baiser qui avait éveillé en elle un désir qui couvait encore comme le feu sous la cendre.

Quelle nuit affreuse elle avait passée!

Il était heureux pour M. Harris qu'il n'ait pas programmé de la revoir aujourd'hui. Elle lui aurait probablement envoyé un coup de poing dans le nez.

« Vendredi, rêva-t-elle en avalant une nouvelle gorgée de café. Jour J. Jour de Jeremy. Heureusement, j'ai grandement le temps, d'ici-là, de me ressaisir. »

Cet épisode avec Jeremy Harris avait pris des proportions ridicules. D'ici à vendredi, elle aurait recouvré son sang-froid.

Quel soulagement. Tout irait bien!

Au fur et à mesure que la journée avançait, Chloé commença à douter sérieusement que tout soit parfait vendredi. Jeremy s'obstinait à lui occuper l'esprit, refusant purement et simplement de la quitter.

– Je suis revenu de déjeuner, dit James du seuil de la porte.

– Parfait, s'exclama-t-elle. Je meurs de faim. Peut-être que manger me... Peu importe. Je vous laisse la garde du château fort, James.

Après avoir tiré la porte sur elle, elle se retourna pour se cogner dans un homme solidement charpenté.

– Excusez-moi, je... Jeremy!

– Salut, fit-il en souriant.

« Bonjour jolie Chloé » reprit-il mentalement.

Il avait décidé de se guérir de son image en la voyant.

– Si l'on déjeunait ensemble? C'est ce que vous alliez faire, hein?

– Euh, oui, mais... hésita-t-elle.

Elle n'était pas préparée à le voir aujourd'hui. Son cœur battait à tout rompre et son estomac était tout retourné. Mais c'était peut-être mieux ainsi : passer une heure avec lui remettrait les choses en place.

– J'en serais très heureuse, répondit-elle.

– Vraiment? Formidable. Allons-y.

La prenant par le coude, il l'entraîna vers l'ascenseur.

Le restaurant qu'elle avait suggéré, proche de son bureau, était décoré comme un pub anglais. Ils s'assirent à une table près d'une fenêtre qui donnait sur un jardinet verdoyant.

Après avoir commandé du poisson et des frites, Jeremy s'appuya sur le dossier, les bras mollement croisés sur la poitrine.

– J'ai écrit dans mon petit carnet que j'allais déjeuner. Cela faisait longtemps que je n'étais pas sorti du bureau pour manger. Je me fais généralement apporter quelque chose.

– Et vous travaillez en mangeant.

– Oui. C'est joli, ici, ajouta-t-il.

– J'ai l'impression que vous avez oublié les jolis endroits pour se restaurer ainsi que les événements agréables de la vie. Jeremy, vous êtes-vous jamais demandé pourquoi vous travailliez si dur?

– Jeff et moi, nous sommes fixés des buts que nous avons atteints. La réputation de Harris et Cooper est excellente. Cependant, la concurrence est rude. Je ne peux pas laisser les autres nous dépasser. Jeff travaillait aussi dur que moi.

– Jeff jouait aussi. Sa vie était équilibrée.

Ses mâchoires se serrèrent.

– Jeff? Équilibré? Je n'en suis pas sûr, Chloé. Au moment de sa mort, il vivait à cent à l'heure. C'était comme s'il cherchait à combler un vide dans sa vie. Nous n'en avons jamais parlé, mais ses principes n'étaient plus les mêmes. Son travail, cependant, était sensationnel. Il a fait beaucoup pour la réputation de Harris et Cooper.

– Je vois, fit-elle en le regardant intensément. Vous protégez la réputation de Jeff et la vôtre avec cette incroyable charge de travail que vous effectuez.

– Oui, je le suppose. Ah, voilà notre déjeuner.

Quelle bonne odeur, et comme c'est appétissant. Je reviendrai.

– Bien, sourit-elle. Les déjeuners détendus sont une excellente façon de décompresser en milieu de journée. Délicieux, fit-elle en avalant une bouchée. Au fait, vous avez pris de l'exercice?

– Je vous propose de ne pas aborder ce sujet, s'esclaffa-t-il. Je vous réponds seulement oui.

– Vous recommencerez aujourd'hui, n'est-ce pas?

– Oui, je vais le faire. J'ai dormi comme une masse.

« Il a bien de la chance » se dit-elle.

Chasser l'image de Jeremy l'avait beaucoup trop occupée et elle avait bien l'impression que de déjeuner avec lui n'apporterait aucune solution à ce problème particulier.

3

– AU REVOIR, fit James en passant la tête dans le bureau de Chloé. A demain... ce bon vieux vendredi. Bon, j'y vais, car c'est mon jour de bowling et comme je suis la vedette de l'équipe, je ne peux pas être en retard. Vous n'avez pas l'air prête à rentrer.

– Je vais rester un peu pour commencer l'article sur le stress dû au travail que je dois écrire pour une publication professionnelle.

– J'ai lu quelque part que la Californie était la capitale indiscutée de ce mal.

– Je le crois. Allez au bowling, James. A demain.

– D'accord, chef. Ne travaillez pas trop tard.

Un rideau de silence sembla tomber sur la pièce et Chloé fixa ses papiers d'un air désolé.

Comment aurait-elle pu, vu son état, se concentrer suffisamment pour écrire un article propre à impressionner l'ensemble des psychologues du pays ?

Si elle restait assise ici, c'était pour la simple raison – ou plutôt la raison compliquée – qu'elle ne voulait pas rentrer dans un appartement vide.

Enfin, pas tout à fait vide, parce que Jeremy en franchirait la porte avec elle, et qu'il lui ferait passer une nouvelle nuit à se tourner et se retourner dans le grand lit. Avoir déjeuné avec lui la veille n'avait rien résolu du tout.

Avec un soupir lamentable, elle s'appuya contre le dossier de sa chaise et ferma les yeux.

En plus d'un mal de tête lancinant, son estomac criait famine. Mais elle ne voulait pas bouger. Apathique, léthargique, elle n'avait plus assez d'énergie pour bouger d'un pouce. Une vague sensation déprimante tournait autour d'elle et...

– Stress, songea-t-elle en se redressant d'un bond. Ce sont les symptômes du stress. Je n'en reviens pas.

D'un mouvement brusque, elle tira le tiroir du bureau pour regarder les tubes de comprimés que lui avait laissés Jeremy, puis le referma tout aussi brusquement et se leva de son fauteuil. Il fallait tuer cela dans l'œuf, commencer un traitement antistress. Elle allait rentrer chez elle et passer une heure à faire du jogging autour de son immeuble. Depuis quand n'avait-elle pas fait de sport? Impossible de s'en souvenir. De toute façon, elle recommencerait ce soir.

Avec un hochement de tête décidé, elle prit son sac et traversa la pièce pour s'arrêter brusquement. Un bruit bizarre résonnait dans l'entrée. Un soudain courant d'air froid la fit sursauter. Le climatiseur soufflait un vent glacé comme le blizzard.

– Et voilà. Le climatiseur remet ça!

Soulagée de savoir à quoi attribuer ce bruit, elle se hâta vers l'entrée. Les magazines à la disposition des patients étaient dispersés sur la moquette. Elle commençait à les ramasser lorsqu'une page, sans doute arrachée par le courant d'air, attira son attention.

– « La lune bleue », lut-elle à voix haute.

Après avoir remis les revues en place, Chloé continua sa lecture. L'article racontait que tous les dix ans environ, la pleine lune apparaissait deux fois dans le mois. La première, dans les premiers jours, la seconde dans les derniers. Cette seconde pleine lune s'appelait la lune bleue.

Bien que la seconde lune ne présentât rien de mystique, une légende romantique s'était bâtie autour d'elle. D'après elle, lorsqu'un homme et une femme contemplaient de concert le lever de la lune bleue, ils tombaient irrévocablement amoureux l'un de l'autre.

– Comme c'est étrange, murmura-t-elle.

Soigneusement, elle plia la page pour la glisser dans son sac.

« Quel dommage que ce conte ne soit pas plus répandu. Tous les romantiques du monde pourraient l'essayer. »

Après avoir éteint, elle quitta le bureau, bien décidée à se renseigner sur la prochaine apparition de la lune bleue.

– La légende de la lune bleue, susurra-t-elle dans l'ascenseur. Oh, j'adore ça!

Vêtue d'un caftan de coton bleu pâle, elle prit sa brosse pour rassembler ses cheveux en une simple natte qu'elle attacha sur sa nuque.

« Je me sens vraiment bien » se réaffirma-t-elle silencieusement en sortant de sa chambre.

Après un cross revigorant, elle avait pris une douche chaude. A présent, elle allait s'offrir un succulent petit dîner puis se détendre avec un bon livre. Ayant diagnostiqué son stress, elle avait pu le combattre et se trouvait maintenant merveilleusement détendue.

Un coup à la porte la fit s'arrêter net, alors qu'elle traversait le salon. Les yeux écarquillés, elle pressa une main sur son cœur battant.

– Bon, marmonna-t-elle en se dirigeant vers la porte, je me sens vraiment calme et détendue.

D'un coup sec, elle ouvrit, l'air sévère pour accueillir l'intrus, quel qu'il fût.

– Jeremy!

Une impression de choc remplaça sa moue, en le voyant devant elle, souriant, en jean et tee-shirt bleu. Il était tellement beau que c'en était presque un péché.

– Bonsoir Chloé, dit-il en soulevant à la hauteur de ses yeux un sac de papier brun. J'ai un problème.

– Ah?

– Oui. C'est une glace au chocolat qui commence à fondre et requiert une attention urgente. Dans deux coupes avec deux cuillères, par exemple.« Elle est sensationnelle, songeait-il en même temps, jeune, insouciante, avec un si joli sourire. Et ses pieds qui sont nus. Qu'ils sont mignons! »

– Ca vous tente?

« S'il savait » répliqua-t-elle en silence, en laissant glisser sur lui son regard.

– Entrez, Jeremy. La glace, c'est un régal. Avez-vous fait du sport? demanda-t-elle en refermant la porte.

Jeremy regarda autour de lui. Le mobilier en rotin blanc avec des coussins vert menthe et jaune créait une ambiance gaie et accueillante dans la pièce bien ordonnée. Une bibliothèque bien garnie occupait un mur, un luxueux équipement télévision et chaîne stéréo garnissait l'autre.

– C'est joli. J'aime bien ce que vous avez fait.

– Merci. Est-ce que je sers la glace?

Ils mangèrent leur dessert sur une table en chêne, dans le coin repas, à la cuisine.

– Mmm, fit Chloé à la première bouchée.

– Oh oui, elle est bonne, fit Jeremy en écho. C'est Jeff qui m'a branché sur le chocolat. Parfois je me ruine en chocolat à la menthe.

– Je me souviens d'avoir mangé de la glace au chocolat avec Jeff quand nous étions petits. Je crois qu'il a toujours aimé ça.

Après une pause, elle reprit :

– Croyez-vous que Jeff approuverait votre façon de travailler au point de négliger les autres aspects de votre vie? Vous disiez que vous veilliez sur sa réputation et la vôtre. Le Jeff Cooper que je connaissais aurait marqué des arrêts dans le train que vous menez.

– Ce ne sera pas toujours comme ça.

– Ah bon? Vous prenez des plis qu'il sera difficile de changer. Vous vous sentirez coupable quand vous ne travaillerez pas.

– Coupable? Je ne me sens pas coupable. Ni dans le présent ni dans l'avenir, et surtout pas dans le passé.

– Je n'ai pas dit que...

– Harris et Cooper fonctionne bien. Je dois cela à Jeff, comme une dette, parce que...

Un instant, il hésita.

– Allons Chloé, accordons à cette glace l'attention qu'elle mérite.

– Oui, mais je voudrais que vous finissiez votre phrase. Pourquoi avez-vous l'impression de devoir quelque chose à Jeff?

– Rien d'important, fit-il en haussant les épaules. C'était une remarque oiseuse. Changeons de sujet.

– Entendu, acquiesça-t-elle.

« Si c'est important, réfléchit-elle. Je le sais. Qu'est-ce qui peut bien le tourmenter? Il sent qu'il doit quelque chose à Jeff mais ne veut pas en discuter. Pourquoi? »

Après avoir fini leur glace, ils se rendirent dans le salon. Jeremy commença à examiner les cassettes de Chloé.

– Choisissez quelque chose, dit-elle en s'installant sur le divan.

La présence de Jeremy envahissait la pièce. Elle avait conscience de chaque fibre de son corps, et le parfum de son savon arrivait jusqu'à elle. Le bout de ses cheveux était encore humide d'une douche qu'il avait dû prendre après le travail. Soudain, son cœur se mit à battre à un rythme rapide.

Une musique douce flottait dans l'air.

Jeremy se tourna, ses yeux rencontrèrent ceux de Chloé. Des fils invisibles semblaient le tirer, comme pour réduire la distance qui les séparait. Lentement, il avança vers elle, le regard toujours rivé au sien, comme hypnotisé.

– Il faut que j'écrive ça dans mon carnet, dit-il en s'arrêtant devant elle. Je vais écrire que j'ai embrassé, passionnément embrassé, Chloé Barlow, sur le divan de son salon. Exact? acheva-t-il en s'asseyant à côté d'elle.

– Oh, eh bien, je...

– Exact, Chloé?

– Exact.

Une main sur sa nuque, il lui couvrit la bouche de la sienne. Les yeux clos, elle lui passa les bras autour du cou. Le baiser s'accentua et la musique continua de jouer.

Une onde de chaleur submergea Chloé, lui coupa le souffle, lui empourpra les joues.

Elle se sentait tellement vivante et féminine, et consciente des différences entre un homme et une femme, entre Jeremy et elle. Jamais elle n'avait ressenti un désir aussi violent, entremêlé de sensations indéfinissables.

Un ronronnement de plaisir lui échappa.

A ce son sensuel, Jeremy s'enflamma. Il releva la tête pour respirer, puis sa bouche fondit à nouveau sur celle de la jeune femme.

Chloé était divine dans cette étreinte. Comme il la désirait! Une vague de chaleur lui embrasa les veines comme une armée de soldats venus des enfers. Il fallait qu'il arrête de l'embrasser avant de perdre la maîtrise de lui-même. Il fallait qu'il arrête, *tout de suite*.

Le souffle court, il releva la tête. Chloé souleva les paupières et vit son regard voilé.

A cet instant, la musique cessa.

– Voilà... commença Jeremy avant de s'éclaircir la voix. Voilà le signal de mon départ. Vous reverrai-je demain? Vous aviez parlé de vendredi.

– Pouvez-vous venir à mon bureau à quatre heures?

– J'y serai.

Il lui effleura les lèvres.

– Je vous quitte. Bonne nuit, Chloé.

– Bonne nuit, Jeremy.

« Cette nuit, songea-t-elle après son départ, je vais de nouveau me tourner et me retourner. »

A neuf heures le lendemain, Chloé se laissa tomber avec plaisir dans son fauteuil, derrière son bureau. Le sourire qu'elle avait affiché pour James disparut. « Si l'on savait que j'ai eu du mal à me lever tellement j'ai mal aux jambes! »

Elle avait du mal à bouger. Il fallait qu'elle pense à quelque chose d'autre qu'à ses douleurs.

Jeremy.

Non, son cerveau s'épuisait déjà à penser à lui.

C'était à cause de lui qu'elle était dans cet état, et elle n'allait pas s'appesantir sur lui.

« La légende de la lune bleue », songea-t-elle soudain.

Quel merveilleux sujet. Elle avait oublié de se renseigner pour savoir quand apparaîtrait la prochaine lune bleue.

Sortant l'article de son sac, elle consulta l'annuaire et oublia momentanément ses muscles douloureux.

Devant la porte du bureau, Jeremy regarda sans la voir la plaque de Chloé. Il était à peine quatre heures, mais il s'était montré incapable d'accomplir aucune tâche à son travail, toute concentration rendue impossible.

Jamais aucune femme n'avait occupé ainsi ses pensées. Grâce à elle, il était une loque. Pourtant il la désirait, comme personne auparavant.

Sourcils froncés, il entra.

– Bonjour, monsieur Harris, dit James. Le Dr Barlow vous attend. Je ne vous accompagne pas puisque vous n'êtes pas un patient.

– Parfait.

La porte de Chloé était entrouverte. Il entra et referma derrière lui.

Et il vit Chloé.

Son cœur bondit dans sa poitrine en la regardant. Elle se tenait face à lui. L'aquarium éclairé formait un étrange décor derrière elle.

Elle était vêtue d'un léger pull à rayures diagonales dans un dégradé de bleus. Sa jupe bleue épousait ses hanches pour s'évaser ensuite jusqu'aux genoux. Comme d'habitude, ses cheveux étaient retenus sur la nuque mais ses yeux semblaient plus grands, plus bruns. Ses lèvres même semblaient lui faire signe, lui demander de les prendre.

« Jeremy, Jeremy, Jeremy, fredonnait l'esprit de Chloé. Enfin, tu es là. »

La journée s'était écoulée avec une lenteur désespérante. Seconde après seconde, battement de cœur après battement de cœur, elle avait attendu ce moment.

Dans son costume noir à fines rayures, sa chemise blanche et sa cravate noire, il était magnifique. Ses yeux comme des émeraudes, ses cheveux comme la nuit, et ses lèvres... Oh, comme elle se souvenait du goût de ses lèvres douces et sensuelles.

Aucun des deux ne soufflait mot. Des ondes de sensualité semblaient grésiller entre eux.

– Une journée qui n'en finissait pas, fit-il.

– Oui, murmura-t-elle.

Ils s'avancèrent au même moment. Message envoyé, message capté. Les mots n'étaient plus nécessaires.

C'est au milieu de la pièce qu'ils se rencontrèrent. Les bras de Chloé se nouèrent autour du cou de Jeremy, les mains de celui-ci l'étreignirent.

Il captura ses lèvres en un baiser brûlant, empli de désir et d'un appétit dévorant.

Jeremy posa les mains dans le bas du dos de la

jeune femme pour la serrer contre ses hanches, s'enivrer de sa douceur, du contact de ses seins contre sa poitrine, de son parfum de fleurs printanières.

Tremblante, Chloé s'abandonna totalement, le corps extasié par son odeur, par sa force, par l'évidence de son désir. La passion montait en elle tandis qu'il embrasait chacun de ses sens.

Elle désirait cet homme. Elle désirait aimer Jeremy Harris.

Le souffle court, il releva la tête, ses lèvres tout contre les siennes. Lorsqu'il parla, sa voix était rauque de passion.

— Sens-tu comme je te désire ?

— Oui, chuchota-t-elle.

— Je ne suis pas venu dans l'intention de t'embrasser, Chloé. Je veux dire, ce n'était pas programmé. C'est arrivé comme ça.

— Moi non plus, je ne l'avais pas prévu, mais je n'ai pas pu m'en empêcher. Oh, Jeremy, c'est effrayant. Quand tu es là, je ne suis plus maîtresse de moi-même. Et quand tu n'es pas là, je pense à toi et... Je ne sais pas... C'est troublant.

Lentement elle détacha ses bras du jeune homme pour reculer d'un pas.

— Ce que je dis n'a pas de sens.

— Mais si, sourit-il. Moi-même j'ai les nerfs plutôt ébranlés. Je ne sais pas tout ce que cela signifie, mais une chose est sûre, Chloé, c'est que je n'ai pas envie de le savoir. Je n'ai pas de temps à consacrer à une liaison sérieuse, pour le moment.

Un instant il leva les yeux vers le plafond pour les baisser à nouveau vers elle.

– Mon Dieu, ça a l'air dur. Tu as raison, c'est très troublant. Une partie de moi-même sait que je ne suis pas prêt pour quelque chose de sérieux, mais je ne peux pas te sortir de mon esprit plus de cinq minutes d'affilée. C'est l'enfer.

– C'est stressant, je sais. Quand j'ai réalisé que je souffrais des symptômes du stress, j'ai... Oh zut!

– Toi? Le pro, l'expert, tu souffres de stress?

– Je ne voulais pas que tu le saches. C'est vraiment humiliant. Un spécialiste du stress qui est stressé. Rien que d'y penser, j'en ai mal à la tête.

– Très intéressant. Mais je voudrais bien savoir si tu as fait du sport.

– Peut-on s'asseoir? demanda-t-elle avec un geste vers les deux chaises devant le bureau.

Hochant la tête, il la regarda s'installer lentement.

– Pourquoi bouges-tu si... commença-t-il avant d'éclater de rire. *Tu as fait* du sport. Tu as mal aux muscles, hein? Tu t'es torturée une heure entière? poursuivit-il en s'asseyant à côté d'elle.

– Ce n'est pas drôle, Jeremy. Je suis morte. J'ai couru une heure hier soir, juste avant que tu n'arrives avec la glace. Je suis dans un piteux état.

– Ce qui te prouve, docteur Barlow, qu'il est idiot de faire du sport pour guérir le stress.

– Certainement pas, s'indigna-t-elle. Je n'invente rien, tu sais. Je ne prescris pas de sport, faute de savoir quoi dire.

– Souffrir n'est pas stressant? Je t'en prie, docteur, n'insiste pas.

– Jeremy, il a été prouvé scientifiquement que

pendant les périodes de stress important, des changements physiques interviennent dans le corps. Des poussées d'adrénaline conjuguées à d'autres hormones circulent dans l'organisme. Le sport produit des peptides et d'autres agents calmants qui contribuent à combattre le stress.

– Tu plaisantes?

– Pas du tout, et je suis vexée que tu puisses mettre en doute mon savoir professionnel. Tu crois que je me ferais souffrir comme ça si ce n'était pas payant à long terme?

– Ça alors, fit-il en secouant la tête, je croyais que c'était un truc pour donner au patient l'impression qu'il faisait quelque chose de constructif. Tu sais, comme une pilule en sucre ou un placebo.

– Merci beaucoup. Tu deviens insultant. Le sport est très important. Toutes sortes de choses aident à combattre le stress. Cet aquarium n'est pas seulement là pour faire beau. Les mouvements paresseux du poisson ont sur certaines personnes un effet calmant. Pas sur toutes, mais sur certaines. Si je sens que le patient y est sensible, je lui recommande d'installer chez lui un petit aquarium.

– Des poissons, s'esclaffa-t-il. C'est fou. Quel autre truc, encore?

– La lune, monsieur Harris. Pas la lune en elle-même, mais l'idée de s'arrêter pour la regarder, apprécier sa beauté, sa sérénité. Je le fais moi-même, car j'ai l'intention de voir la lune bleue.

– La quoi?

– J'ai un article à ce sujet sur mon bureau. Je te l'apporterai bien mais mes jambes préfèrent ne pas bouger. De plus, tu ne sembles pas prendre très au sérieux ce que je te dis.

Il se pencha pour attraper l'article et le lut.

– La légende de la lune bleue, dit-il. Je n'en avais jamais entendu parler. Deux pleines lunes dans le mois? Ca doit être inhabituel. J'avoue que c'est fascinant. Mais c'est aussi une légende. Si deux personnes décident de regarder ensemble la lune bleue, ils tombent amoureux. Tous les célibataires endurcis du monde fermeraient la porte et tireraient les rideaux.

– Tu n'as pas une once de romantisme en toi. De plus, il ne s'agit que d'un conte de fées. Cependant, l'apparition de la lune bleue est réelle. J'ai vérifié et la prochaine aura lieu samedi soir.

– Sans blague? s'exclama-t-il. Et si tu es avec un type à ce moment-là? Tu peux très bien accepter de l'épouser, sans même savoir ce qui t'arrive.

– Ne sois pas stupide, Jeremy. Cette légende est le fruit de l'imagination de quelqu'un.

– Comment le sais-tu, fit-il en se penchant vers elle. Ma chère, tu contemples en ce moment le résultat de trèfle à quatre feuilles.

– Je te demande pardon?

– Avant de prendre leur retraite et de s'installer en Floride, mes parents vivaient à l'extérieur de Los Angeles. Ils étaient mariés depuis six ans et n'avaient toujours pas d'enfants, sans explication médicale. Un jour, comme ma mère était chagrinée par cette histoire, mon père l'emmena en pique-nique pour lui changer les idées.

– C'était gentil de sa part.

– Ils trouvèrent un endroit retiré, or c'était un champ de trèfle à quatre feuilles.

– C'est curieux.

– Certainement. Mes parents mangèrent leur pique-nique, et puis, une chose en amenant une autre, voilà que... bref, neuf mois plus tard, j'étais là. Merveilleux, mignon et hurlant.

– Vraiment? Tes parents croient que c'est à cause des trèfles à quatre feuilles?

– Bien sûr. Le jour de ma naissance, mon père offrit à maman une petite boîte en porcelaine, avec quelques trèfles de ce champ pressés sous verre sur le couvercle.

– Oh, comme c'est romantique. Ont-ils eu d'autres enfants?

– Non. Dès que j'ai commencé à marcher et à tout casser, mon père a dit qu'il ne retournerait jamais dans ce champ, même sous la menace d'un pistolet. J'étais un petit enfant actif et imaginatif.

Ravie, Chloé se mit à rire.

– Quelle belle histoire romantique.

– Tu vois, il faut donc faire attention à ce genre de chose, dit-il en agitant l'article. Mes parents croient vraiment que sans les trèfles à quatre feuilles, je ne serais pas là. Ils ont peut-être tort, mais qui sait? Cette lune bleue est tout de même risquée.

– Tu parles sérieusement?

– Parfaitement.

– Tu es une contradiction vivante, Jeremy Harris. Je persiste à penser que tu te moques de mes remèdes antistress et que tu ne me prends pas pour une professionnelle expérimentée. Et puis tu fais volte-face pour affirmer que tu croies à des légendes et des superstitions.

— Sois honnête, docteur Barlow. Est-ce que je vais mettre fin à mon stress en regardant des poissons nager la gueule ouverte ? Le sport a peut-être un intérêt à cause des peptides, mais les poissons ?

— C'est toi qui n'es pas honnête, Jeremy, fit-elle d'un ton plus élevé. J'ai travaillé dur pour avoir mes examens. Ce que je te dis est basé sur des faits scientifiques. Tu viens seulement de commencer ton programme antistress. Il faut que tu te rendes compte que tu ne peux pas tout faire dans ton entreprise. Tu dois apprendre à te déléguer, à faire exécuter des tâches et à faire confiance à ceux qui les exécutent. Savoir se détendre est un art. Certaines personnes sujettes au stress essaient tellement de se détendre pendant leur temps libre qu'elles obtiennent le résultat contraire et sont encore plus crispées.

— Écoute, je...

— Je parle. Je peux te prêter des cassettes qui ont aidé des patients. La bande t'emmène en un voyage imaginaire sur une plage tranquille où les vagues viennent lécher le sable en un rythme régulier...

— Qui est avec moi ? s'esclaffa-t-il.

Chloé fronça les sourcils.

— N'en parlons plus. Il est inutile d'essayer de communiquer avec un mur. Tu es très difficile, monsieur Harris.

— Hé, du calme, Chloé. Je crois que nous méritons une soirée agréable et délassante. Dînerais-tu avec moi ? A huit heures ? Ou nous pourrions faire un peu de jogging ensemble, histoire de secouer un peu nos vieux peptides.

— Non, mes jambes vont tomber si je ne leur laisse pas le temps de récupérer.

— D'accord pour le dîner, donc, fit-il en sautant sur ses pieds. Tu ne devrais pas avoir l'esprit aussi borné en ce qui concerne les légendes, ajouta-t-il en lui tendant l'article sur la lune bleue. Il y a du vrai, là-dedans. Oh, voici mon carnet. A tout à l'heure.

Se penchant vers elle, il lui donna un baiser à lui couper le souffle.

— Je n'ai plus le temps de parler remèdes anti-stress, je dois aller vérifier une épreuve. Salut.

A grandes enjambées, il quitta le bureau.

— Mais...

Chloé s'adressa à la pièce vide.

— Jeremy Harris est en train de me rendre folle.

4

JUSTE avant six heures, Jeremy introduisit la
clé dans la serrure et entra chez lui.

— Mon Dieu, s'exclama-t-il, les yeux écarquillés
d'horreur devant le salon.

On aurait dit qu'un ouragan avait ravagé la
pièce, dévastant tout sur son passage. Les papiers
qui jonchaient le sol avaient été sortis des tiroirs.
Les coussins avaient été jetés pêle-mêle, de même
que les cassettes et les films vidéo. La bibliothèque étaient nue, les livres gisaient en tas sur le
sol.

La pièce avait été entièrement dévastée.

— Bon sang, marmonna-t-il, l'estomac retourné.

Décrochant le téléphone, il composa le numéro
de la police, la tête en proie à une douleur lanci-
nante et la vision brouillée.

Dix minutes plus tard, Jeremy se détacha du
mur du couloir à l'arrivée de deux policiers en
uniforme qui sortaient de l'ascenseur.

— Monsieur Harris?

— Oui. Le salon a été dévasté, les autres pièces

n'ont pas été touchées. Apparemment, rien ne manque. Je me suis servi du téléphone pour appeler, mais je n'ai touché à rien d'autre. Je me demande bien comment ils ont pu entrer. La serrure n'a pas été forcée, ma clé a fonctionné normalement. Et je ne comprends pas que rien n'ait été volé. J'ai un équipement stéréo de valeur. Je ne sais pas. Je suis tellement abasourdi que...

Il secoua la tête.

– Ne vous inquiétez pas, monsieur, dit l'un des policiers. Chuck, tu devrais aller voir le gardien de l'immeuble. Demande-lui...

Il leva les yeux au bruit de l'ascenseur.

– Ça alors, c'est le lieutenant Santini. Comment se fait-il qu'un lieutenant se dérange pour un appel de ce genre ? Prends l'air intelligent, Chuck, ajouta-t-il tandis que la haute silhouette approchait. Santini est un bon flic.

– Tu ne peux pas t'empêcher d'avoir des ennuis, hein, Jeremy ? dit Vince en arrivant vers lui.

Le jeune homme lui serra la main.

– Quel plaisir de te voir, Vince. Je savais que tu étais revenu de tes dix-huit mois de stage passés en Italie. Tu as reçu mes messages ? Nos parties de tennis me manquent terriblement.

– J'ai bien reçu tes messages, mais je n'ai pas eu une seconde à moi depuis que je suis descendu de l'avion. J'ai entendu ton appel et j'ai décidé de faire un saut.

Jeremy se renfrogna.

– Mon salon a été dévasté.

– On va contrôler tout ça, fit Vince en hochant la tête.

– J'allais justement voir le gardien de l'immeuble, dit Chuck.

– Ne passez pas trop de temps à cela. Je suis passé à côté de lui et il ne m'a pas remarqué. Il avait le nez plongé dans un livre. Faites venir les gars du labo pour les empreintes.

– Pour ça? Mais ils n'ont rien pris.

– Faites-le.

– Oh, bien mon lieutenant.

– Jeremy, je regarde rapidement à l'intérieur et je t'emmène prendre un café en bas.

– Parfait, fit-il, lugubre. As-tu une idée de ce qu'un truc pareil peut faire sur mon stress?

Assis avec Vince dans le petit restaurant, Jeremy se rendit compte que son estomac le brûlait comme de la lave et il commanda une tarte aux cerises avec un café tandis que Vince s'en tenait à un café.

– Bon sang, pourquoi mon appartement? Pourquoi moi? grommela Jeremy en piquant le gâteau de sa fourchette.

– Ça, mon vieux, c'est ma question.

– Que veux-tu dire?

– Mildred Fairchild.

– Les médecins ont déclaré qu'elle allait bien. Ça fait deux ans, Vince. Tu crois que c'est elle qui a fait ça?

– Je ne sais pas. Le fait que rien n'ait été volé m'indispose.

Il marqua un temps avant de reprendre :

— Pourquoi ne prends-tu pas de l'aspirine pour le mal de tête qui apparemment te tenaille ? Tu as beau te frotter le front, l'aspirine sera plus efficace.

— J'ai donné le tube à Chloé.

— Chloé. Joli nom. Elle a mal à la tête, elle aussi ?

— Oh, arrête. Bill Cooper a trouvé que j'étais complètement stressé et m'a envoyé chez une psychologue, spécialiste en la matière, Chloé Barlow. Si tu ris, je t'envoie un coup de poing dans la figure.

Vince réprima un sourire.

— C'est très à la mode, le stress. Donc, Chloé est psy. Une belle psy ?

— Splendide. Mais je ne suis pas un vrai patient. Elle me donne quelques tuyaux, bien que ce soit parfois aberrant. Oui, Chloé est vraiment belle, acheva-t-il après une pause.

— Oh, oh.

— Ne t'emballe pas. Pas plus que toi, je n'ai l'intention de m'engager sérieusement avec une femme. Mais il y a quelque chose, dans Chloé, qui... Peu importe.

— Oh, oh, fit Vince en hochant la tête. Elle t'a eu.

— Lieutenant ?

Les deux amis levèrent les yeux vers un petit homme vigoureux.

— Oui ?

— Pete Mallory, du laboratoire. L'endroit est

net. Pas d'empreintes... du tout. Des drogués n'auraient pas fait ça. Ils n'auraient pas pris autant de soins.

– Compris. Avez-vous une idée de la façon dont il... ou elle... est entré dans l'appartement?

– Oui. Enfin, je crois. Monsieur Harris, avez-vous une clé supplémentaire, fixée sous le troisième rayonnage de la bibliothèque?

– Non.

– C'est donc bien ça, dit Pete. Nous en avons trouvé une là. Il est entré avec un double qu'il a laissé là pour se moquer de nous.

– Merci, Pete. Je remonte dans quelques instants, fit Vince.

– Bon sang, je n'avais pas besoin de ça, marmonna Jeremy.

– Hé, regarde le bon côté des choses. Tu as cette merveilleuse Chloé pour te tenir la main pendant cette période de stress intense. Ce n'est pas si mal.

– Vince?

– Mmm?

– Va au diable.

Vince éclata de rire.

Enveloppée dans une épaisse serviette éponge couleur lavande, Chloé se séchait les cheveux.

Avec un soupir, elle arrêta le séchoir et d'un mouvement de tête fit tomber en cascade sur son dos ses cheveux blonds. Quelle merveilleuse sensation que de les sentir libres et non pas attachés sur la nuque. Ce soir, elle les porterait ainsi pour sortir avec Jeremy.

Jeremy. Si elle se concentrait sur ses cheveux, c'était pour éviter de se trouver confrontée à une difficile vérité.

Jeremy Harris ne la respectait pas en tant que psychologue. Et cela lui faisait mal.

Ce n'était pas la première fois qu'elle se heurtait à quelqu'un empli d'idées préconçues moins que flatteuses pour la psychologie. Même dans des congrès médicaux. Ceux-là, elle les ignorait purement et simplement.

Les incrédules, les sceptiques lui importaient peu.

Mais Jeremy lui importait.

Il lui importait même davantage à chaque nouveau tic-tac de l'horloge, à chaque battement de son cœur.

Comme jamais aucun homme auparavant.

Assise devant sa coiffeuse, elle y planta les coudes, le menton dans les mains, les yeux fixés sur le miroir.

– Pourquoi? demanda-t-elle à son reflet. Pourquoi?

A moins que...

Les yeux écarquillés, elle se redressa.

A moins qu'elle ne fût tombée amoureuse de Jeremy.

Du plat de la main, elle frappa la coiffeuse.

– Eh bien, c'est super. Chloé, tu es une imbécile.

Parmi les millions d'hommes au monde, il avait fallu qu'elle tombe amoureuse du seul qui ne s'intéressât qu'à une moitié d'elle-même. Un homme qui ricanait et levait les yeux au ciel dès qu'il s'agissait de Chloé la psychologue, mais embrassait Chloé la femme à toute occasion.

— Oh, quelle barbe, gémit-elle.

Avec un profond soupir, elle enfila sa lingerie de dentelle rose, se maquilla légèrement, se parfuma d'un jet d'eau de Cologne et sortit sa robe de la penderie.

La mousseline rose pâle sembla flotter autour de sa tête comme un nuage avant de retomber parfaitement autour d'elle. Le décolleté et la taille étaient en dentelle. C'était une robe extrêmement féminine, élégante et sensuelle.

Après s'être brossé les cheveux une fois de plus, elle prit la pochette assortie à ses chaussures à talons et se regarda dans la glace.

« Très jolie, et différente de la Chloé Barlow que Jeremy a vue jusqu'à présent » décida-t-elle. Il ne connaissait que la psychologue, et d'après ses baisers, il aimait déjà ce qu'il voyait.

Elle avait hâte de voir sa réaction devant cette nouvelle Chloé Barlow.

Lorsqu'il frappa à la porte, elle attendit, avant d'ouvrir, que son cœur se calme. Il était là, sur le seuil, en costume noir, chemise blanche et cravate rayée noir et rose. Le beau, le magnifique, le merveilleux Jeremy était là.

— Bonsoir, entre, murmura-t-elle en reculant.

Il ouvrit la bouche, comme pour parler, mais aucun son n'en sortit. Son regard enveloppa Chloé tandis qu'elle fermait la porte.

Jamais il n'avait vu de femme aussi belle. Ses cheveux étaient encore plus sensationnels qu'il ne l'avait imaginé dans ses rêves les plus fous. Et cette robe! La façon dont elle la moulait à certains endroits et dansait à d'autres lui donnait des suées.

— Toi, commença-t-il en essayant d'inspirer de l'air dans ses poumons, tu es la femme la plus belle que j'ai jamais vue. Tes cheveux sont... Oh, zut. Je me conduis en adolescent stupide et tout ce que je dis est rebattu.

— Ça ne l'est pas, si tu le penses sincèrement.

— Oh oui, fit-il, la voix rauque. Tu es belle, Chloé.

— Merci, Jeremy. Lentement, elle avança vers lui.

— Tu es merveilleux aussi. Tu es extrêmement séduisant.

— Merci. Maintenant, je vais t'embrasser. J'en ai vraiment envie. Je veux dire, j'aime bien parler avec toi, mais... Nous parlerons plus tard.

— Tu parles encore? sourit-elle.

Ses mains tremblantes se nouèrent dans les cheveux de Chloé et un gémissement s'échappa de sa gorge. Un instant il la regarda avant de baisser ses lèvres sur les siennes.

« Je suis belle. Il est beau, songea-t-elle, rêveuse. Ce baiser est beau. Et c'est bien ainsi. Nous ne sommes qu'un homme et une femme. Pas une psychologue et un incrédule. »

Passant les bras autour du cou de Jeremy, elle entrouvrit les lèvres pour recevoir son baiser et le lui rendre de toute sa passion.

« C'est Chloé, pensa-t-il. La femme. La mienne. Je la désire. Et rien n'altérera la magie de cette nuit. »

Ce soir, il ne penserait pas, il savourerait ce qu'était Chloé, la femme. Le Dr Barlow ne se joindrait pas à eux. Ils n'étaient qu'un homme et une femme. Rien de plus. Et, Dieu merci, rien de moins. Un homme et une femme, tout simplement.

Relevant la tête, il inspira difficilement.

— J'ai réservé pour le dîner. Nous ferions bien d'y aller.

— Oui. Tu as raison. Je vais chercher mon sac.

— Chloé? fit-il alors qu'elle allait s'écarter de lui.

— Oui?

— Ce soir, pourrions-nous oublier comment nous nous sommes rencontrés? Je veux dire, nous sommes une femme et un homme. Laissons-là le médecin et le cadre stressé.

— Ça fait partie de notre vie, Jeremy.

— Pas ce soir.

« Quelques heures volées, se dit-elle. Sans problèmes ni doutes ni craintes. Seulement Jeremy. »

— Je crois que c'est une bonne idée, affirma-t-elle.

— Bien, très bien.

« Et certainement stupide, ajouta-t-elle intérieurement en allant chercher sa pochette. Mais ce soir, tant pis. »

En sortant dans cette nuit d'été, leurs têtes se levèrent et leurs regards scrutèrent le ciel. Un

68

épais nuage formait une couverture. Ils éclatèrent de rire.

— Tu cherchais la lune bleue, s'esclaffa Jeremy. Et ce n'est même pas le moment.

— Coupable. Et toi aussi. Je sais que les astronomes peuvent prédire exactement quelle nuit elle apparaîtra, mais je ne veux pas courir le risque de ne pas la voir.

— Et que penses-tu de la légende qui en découle? demanda-t-il en ouvrant la portière côté passager de sa BMW gris acier.

— Oh. Eh bien, c'est...

Elle haussa les épaules en s'asseyant dans la voiture puis le regarda.

— C'est bizarre et drôle. C'est un joli conte de fées.

— Je vois, fit-il en claquant sèchement la portière.

— Mais bon sang, marmonna-t-elle tandis qu'il contournait le véhicule, ce n'est pas vrai. Les légendes, les superstitions, ce ne sont que des histoires, tout cela.

Après s'être glissé derrière le volant et avoir mis le contact, Jeremy hésita. Posant un bras sur le dossier, il passa doucement les doigts dans les cheveux de Chloé.

— Chloé, ne peux-tu pas croire à quelque chose de non scientifique?

— Jeremy, ne peux-tu pas croire à quelque chose de scientifique? répliqua-t-elle en relevant à la fois un sourcil et le menton.

— Touché, s'esclaffa-t-il. La lune bleue et la psychologie sont des sujets proscrits pour ce soir.

– Ainsi soit-il. On a le droit toutefois de vérifier le ciel de temps en temps.

– Bien madame.

Leur éclat de rire emplit la voiture d'une joyeuse résonance. Durant le trajet, ils continuèrent de discuter agréablement. Cependant sous les plaisanteries et les rires se tissait un courant de sensualité qui les enveloppait comme des fils invisibles et les liait l'un à l'autre. Lorsque les yeux bruns et les yeux verts se rencontraient, les phrases restaient inachevées et les pensées s'évaporaient tandis que les battements de cœur s'accéléraient.

La tension sexuelle s'intensifiait, provoquait en eux une chaleur croissante que chacun identifiait sans la mentionner à l'autre.

Un frisson parcourut Chloé.

Des gouttes de sueur perlèrent dans le dos de Jeremy.

– Désolé, monsieur, fit le jeune homme devant le restaurant, le parking est inutilisable. Une canalisation a cédé ce matin et les ouvriers ont tout défoncé. Pas de dégâts dans le restaurant toutefois. Mais je vais vous demander d'aller vous garer dans la rue principale ou une adjacente.

– Chloé? dit Jeremy en la regardant.

– C'est parfait, Jeremy. C'est une belle nuit et cela m'est égal de marcher. Je ne soulignerai même pas que la marche est un excellent exercice.

– Bravo. Bon, je vais aller me garer, reprit-il à

l'intention du jeune homme en uniforme, et nous reviendrons à pied.

– Oui monsieur.

La première place qu'il trouva se situait deux pâtés de maisons plus loin, dans une rue sombre bordée d'arbres aux branches basses.

– C'est horrible, fit Chloé alors qu'ils se dirigeaient vers le restaurant, les maisons ne sont même pas allumées. Avec ces arbres, on se croirait dans une caverne.

– Juste au coin, nous allons trouver de la lumière et de la nourriture, mon cœur.

– Conduisez-moi, monsieur Harris, je meurs de faim.

Ce restaurant était réputé pour son excellente cuisine et son atmosphère intimiste. Des bougies scintillaient sur les tables à nappes blanches ; les serveurs portaient le smoking et parlaient à voix basse. Les tables étaient arrangées de sorte que chaque client pût oublier les autres.

Après que tous deux eurent choisi et commandé, Jeremy interrogea Chloé sur son enfance. Elle expliqua que sa mère était morte quand elle avait douze ans et elle parla de son père, un tendre sourire aux lèvres.

C'était une conversation normale et ordinaire. Mais là encore, chacun avait une conscience aiguë de l'autre, lui, sentant toutes les nuances de la femme, elle, ne manquant aucun détail de l'homme.

– Quand as-tu rencontré Jeff Cooper ? demanda Chloé à un moment, avec l'espoir qu'il ne remarquerait pas le timbre haché de sa voix.

– Nous sommes allés à l'école ensemble. J'avais deux ans de plus que lui. Je savais déjà – je l'ai su depuis l'enfance – que je voulais être architecte. Jeff savait seulement qu'il ne « voulait pas » être médecin comme son père.

– Bill avait toujours espéré qu'il le serait.

– Je sais. Pour finir, Jeff a déclaré qu'il pourrait aussi bien dessiner, lui aussi, vu que c'était ce que je faisais durant mes loisirs. Ça l'a passionné instantanément. Il était doué et cette capacité naturelle était toujours passée inaperçue. Nous avons commencé à rêver de notre avenir, à Harris et Cooper, architectes, qui seraient les meilleurs dans la partie. Jeff pensait que mon nom devait venir en premier parce que j'étais le plus âgé. Je suis entré à l'université. Il m'y a rejoint deux ans plus tard, et enfin, nous avons créé notre bureau. Au début, nous avons failli mourir de faim, mais Jeff me manque. C'était un type bien, un bon ami et l'un des architectes les plus talentueux.

– Il manque aussi terriblement à Bill. Mon père m'a dit que c'est toi qui l'a tiré d'une dépression en créant pour lui un poste de médecin d'entreprise. Tu lui as sauvé la vie.

– Je lui ai donné un moyen de s'en sortir, c'est tout. La mort de Jeff a été particulièrement pénible pour nous tous, parce qu'il n'a pas été victime d'un autre conducteur mais victime de lui-même. Il vivait en permanence à cent à l'heure et a fini par se tuer. Cela n'aurait jamais dû arriver. Si seulement j'avais...

Il s'interrompit brusquement.

— Si tu avais fait quoi, Jeremy? Convaincu Jeff de changer? C'est cela, hein? Tu dis que tu travailles dur parce que tu dois à Jeff de maintenir la réputation d'excellence de Harris et Cooper. C'est ta dette envers Jeff. Pourquoi?

Une veine battait visiblement sur sa tempe lorsqu'il se pencha vers Chloé.

— J'étais le meilleur ami de Jeff et son associé. J'ai vu ce qui se passait et je me suis dit qu'il fallait que j'aie avec lui une longue conversation. Mais je l'ai toujours repoussée, faute de temps. Puis... puis, il n'y a plus eu de temps puisque Jeff est mort.

Elle posa la main sur la sienne.

— Oh, Jeremy, Jeff était un adulte, responsable de ses actes. Il aurait peut-être écouté tes conseils, mais j'en doute. Il serait probablement resté sourd à tes paroles. Tu n'as pas de dette envers lui. Vraiment pas.

Jeremy croisa son regard puis posa les yeux sur sa main. Il retourna la sienne et referma les doigts sur ceux de la jeune femme.

— Je penserai à ce que tu m'as dit, murmura-t-il. Merci, Chloé.

— Je t'en prie. J'ai regardé ton carnet. Ton énergie au travail, toutes ces heures durant, y est inscrite noir sur blanc. Comme Jeff, tu es responsable de tes actes. Tu as tort d'agir ainsi envers toi-même.

De nouveau, il la regarda et hocha lentement la tête. Leurs yeux restèrent rivés. L'arrivée d'un serveur avec leur dîner mit fin à cette atmosphère chargée d'émotion.

Tout en mangeant, ils poursuivirent la conversation et lorsque le serveur vint débarrasser les assiettes, Chloé s'aperçut qu'elle aurait été bien incapable de dire si les plats avaient été bons. A la lumière des bougies qui accentuaient les traits aigus de son visage, elle n'avait vu que Jeremy. Cette soirée était magique. La nuit était à eux.

Tout en buvant son café, Jeremy s'absorba dans la contemplation de Chloé. Ses cheveux d'or étaient une invitation à y plonger les mains. Le désir monta en lui.

Pour la centième fois depuis qu'il l'avait rencontrée, il se demanda comment l'on savait que l'on tombait amoureux? L'instinct de possession qu'il ressentait envers elle lui délivrait-il un message qu'il ne savait pas déchiffrer? Le désir qu'il éprouvait avait-il une signification plus profonde que celle qu'il percevait? La façon dont elle occupait ses pensées le jour et ses rêves la nuit, lui lançait-elle un signal qu'il ne comprenait pas?

Lui qui était intelligent, pourquoi ne pouvait-il pas tirer au clair l'embrouillamini de son cerveau?

— Jeremy, ton café n'est pas bon? s'enquit-elle. Tu le regardes d'un air renfrogné.

— Comment? Oh non, il est bon. Je pensais à autre chose. Tu es prête à marcher jusqu'à la voiture?

— Si je peux bouger. J'ai trop mangé. Oui, je suis prête.

« Le plus tôt sera le mieux » se dit-elle.

Chaque fois qu'elle regardait Jeremy, elle avait

l'impression de fondre comme neige au soleil. Il fallait qu'elle quitte l'atmosphère romantique du restaurant pour prendre une gorgée d'air frais.

Après avoir réglé l'addition, ils sortirent pour se retrouver dans l'avenue brillamment éclairée. Ils tournèrent ensuite dans le noir tunnel du pâté de maisons suivant.

— C'est toujours aussi horrible, dit Chloé.

Passant le bras sur ses épaules, il la serra contre lui.

— Je vais te protéger des fantômes, des lutins et de toutes ces choses qui hantent la nuit.

— C'est réconfortant, s'esclaffa-t-elle.

Au fur et à mesure de leur avancée, l'obscurité semblait se refermer sur eux comme une lourde porte.

Soudain, Jeremy se raidit tandis qu'une haute silhouette sortait des buissons.

— Attention... commença-t-il.

— Qu'y a-t-il? Je...

Avant qu'elle ait pu en dire plus, Jeremy l'étreignit et se jeta avec elle face contre l'herbe qui jouxtait le trottoir. Le poids du jeune homme l'écrasa sur le sol.

Glacée d'effroi, elle poussa un cri.

Relevant la tête, Jeremy scruta l'obscurité.

— Ici, Tippy, ici mon vieux, fit une voix au loin. Viens mon chien, rentre à la maison. Tippy, rentre vite mon chien.

Soulagé, Jeremy ferma les yeux en laissant retomber la tête sur l'épaule de Chloé. Il roula sur le côté et la fit pivoter face à lui.

— Si tu veux bien m'expliquer, demanda-t-elle poliment.

— Je suis désolé. Ca va ? Je ne t'ai pas fait mal ? Je dois être trop nerveux. Cet après-midi, quelqu'un a dévasté mon appartement. Quand j'ai vu ce type sortir des buissons, j'ai cru... Oh, ce que je peux être nigaud.

— Non, pas du tout. Et non, tu ne m'as pas fait mal. J'ai été surprise, c'est tout. On était en train de marcher tranquillement et la seconde suivante...

— Je sais, je sais, je regrette. Enfin, corrigea-t-il en riant, je ne regrette pas vraiment, parce qu'être couché avec toi dans cette herbe odorante n'est pas du tout déplaisant.

Ses lèvres s'abaissèrent vers les siennes.

— Pas du tout.

Le baiser commença doucement pour s'intensifier peu à peu. L'herbe était un lit mœlleux et parfumé, l'obscurité un cocon intime.

Ils se retrouvaient dans un univers qu'eux seuls occupaient.

Un désir grandissant s'empara d'eux. Un désir douloureux, comme jamais aucun d'eux n'en avait connu.

Jeremy détacha sa bouche de celle de Chloé.

— Chloé, ce n'est pas l'endroit ni le moment. Oh, si tu savais comme je te désire.

— Moi aussi, Jeremy, chuchota-t-elle, à peine capable de respirer.

Un long moment, il la regarda dans les yeux.

— Chloé, rentrons à la maison.

5

– Eᴛ voilà toute l'histoire, conclut Jeremy en entrant chez Chloé. Les médecins disent que Mildred Fairchild est saine d'esprit. Vince, apparemment, en doute. Il est décidé à lui parler. J'ai bien peur qu'il le fasse, même sans mandat. C'est un flic qui est réfractaire à tout papier administratif.

– Tu penses aussi que c'est Mildred Fairchild qui a saccagé ton appartement?

– Je n'en sais rien, dit-il en posant les mains sur ses épaules. Excuse-moi encore pour ma réaction quand j'ai vu cet homme dans la rue. Tu es sûre que je ne t'ai pas fait mal?

Il la serra contre lui.

– Je me sens très bien, fit-elle en nichant la tête contre sa poitrine.

Enivrée de son parfum, de sa force, de sa chaleur, elle poussa un soupir de plaisir et leva la tête vers lui.

– Que tu es belle.

Sa bouche fondit sur la sienne en un baiser insistant, frénétique qui révélait les heures passées à contrôler sa passion. Une passion qui ne demandait plus qu'à éclater.

Ses mains plongèrent dans la luxuriante chevelure, descendirent le long de son dos, jusqu'au bas des reins. Un gémissement sortit de sa poitrine.

Les bras autour de lui, Chloé sentait ses muscles bouger sous les vêtements. Elle répondit à la demande de ses lèvres, de sa langue, s'abandonnant à lui.

Les seins écrasés contre sa poitrine, elle en savoura l'agréable douleur. Sentant contre elle l'évidence de son désir, elle se réjouit de voir que leur passion était égale.

Oh oui, elle voulait aimer Jeremy Harris. Maintenant.

Aucune pensée ne dépassait le désir qu'elle avait de cet homme. Le désarroi, le doute, les questions n'étaient plus de mise. Cette nuit était leur nuit.

Une fraction de seconde, il releva la tête.

— Chloé?

— Oui, chuchota-t-elle.

Ce mot allait lui changer la vie.

Sans aucun doute, elle savait qu'après avoir aimé Jeremy, elle ne serait plus la même. L'avenir restait voilé de brume. Seule existait cette nuit, d'une clarté de cristal. Il n'y avait que Jeremy.

— Oui, répéta-t-elle doucement.

Bras enlacés, corps serrés l'un contre l'autre, ils traversèrent le salon pour entrer dans la chambre obscure. Chloé alluma la petite lampe de chevet et une lueur rosée baigna la pièce. Puis elle se tourna vers lui.

Lentement, il avança vers elle, remarquant distraitement l'ambiance féminine des lieux. Un dessus-de-lit aux fleurs multicolores égayait l'ensemble.

Lorsqu'il s'arrêta devant elle, il oublia le décor pour ne plus voir dans ses yeux que la brumeuse nuance du désir, reflet identique au sien. Ils connaissaient la même fièvre. Ils allaient donner et recevoir, recevoir et donner, en un partage mutuel.

Il sut que leur union ne serait à nulle autre semblable.

Parce que c'était Chloé.

Le regard rivé au sien, Chloé fit glisser la fermeture de sa robe, repoussa les épaulettes de ses bras et laissa tomber le tissu léger.

Les yeux de Jeremy détaillèrent la silhouette à peine vêtue. Vivement, il se débarrassa de sa veste et de sa cravate.

Sans se quitter du regard, ils ôtèrent leurs vêtements et restèrent nus, l'un devant l'autre.

– Chloé, murmura Jeremy en lui effleurant la joue d'une main tremblante, tu es exquise.

Tournant la tête pour déposer un baiser dans sa paume, elle laissa ensuite son regard glisser lentement sur le corps splendide.

Une toison brune bouclait sur sa poitrine et sa virilité annonçait pleinement le désir qu'il avait d'elle.

« C'est un homme, songea-t-elle. Mon homme. »

Malgré sa puissance, elle savait que pour elle, il tempérerait sa force. Devant toute cette beauté, elle sentit ses yeux se mouiller de larmes et un sourire se dessina sur ses lèvres.

– Tu es exquis aussi, chuchota-t-elle.

Franchissant la courte distance qui les séparait, il la prit dans ses bras, sa bouche chercha la sienne. Leurs lèvres se rencontrèrent, leur langue et leur corps aussi.

Aucune barrière ne les séparait. Ils étaient libres de laisser place, sans aucune retenue, au désir qui les consumait.

Lorsqu'à regret Jeremy releva la tête, il regarda Chloé un long moment puis recula jusqu'au lit pour en repousser les couvertures.

La soulevant dans ses bras, il la déposa au milieu des draps frais et laissa son regard errer sur ses seins généreux, les douces courbes de son corps, ses longues jambes, ses cheveux épandus sur l'oreiller comme une auréole d'or. Sa peau de satin avait une nuance pêche.

Une douleur inconnue lui serra la gorge et il avala difficilement en s'étendant près d'elle. Penché sur elle, il lui posa une main sur le ventre.

– Je te désire, Jeremy, dit-elle d'une voix étouffée. Je te désire tant.

Plutôt que d'essayer de parler, il l'embrassa. Sa main remonta du ventre à un sein, du pouce il en excita le bout qui se tendit. Sa bouche s'y posa et il en savoura la tendre douceur. Ses doigts descendirent à nouveau sur son ventre, et plus bas encore.

Un soupir de plaisir s'échappa des lèvres de Chloé. Ses mains accrochées à l'épaisse obscurité des cheveux de Jeremy lui appuyaient la tête plus fermement sur sa poitrine. Éperdue de désir, elle ferma les yeux.

Les doigts de Jeremy se faisaient les instruments d'une torture exquise et créaient en elle des pulsations battant au rythme de la langue qui lui excitait le sein.

– Oh, Jeremy, murmura-t-elle. Je t'en prie, je te désire, je te veux.

Sa bouche se dirigea vers l'autre sein.

– Bientôt, Chloé, Bientôt.

Tout en continuant de caresser sa douce moiteur, sa langue taquina intensément la pointe tendue et gonflée. La tête de Chloé s'agita confusément sur l'oreiller : sa passion demandait à être satisfaite.

Sous la maîtrise qu'il s'imposait, les muscles de Jeremy frémirent. Il fallait qu'il sache que Chloé était prête pour lui.

Il fallait que ce soit parfait pour elle. Son plaisir devait passer avant le sien. Il fallait attendre, être sûr de ne pas lui faire mal. Il aurait voulu s'enfouir en elle profondément, se perdre dans la chaleur soyeuse qu'il sentait sous ses doigts. Non, il fallait attendre... attendre...

Consciente du tremblement de son corps, elle sut que pour elle, il se contrôlait, se retenait.

Jamais elle ne s'était sentie autant choyée. Mais elle désirait Jeremy... maintenant. Elle ne pouvait plus attendre de ne faire qu'un avec lui, de sentir son corps fondu au sien.

Elle laissa ses doigts glisser dans la toison de sa poitrine, puis plus bas, plus bas encore. Les muscles tressaillirent sous sa touche légère, un gémissement résonna dans la poitrine de Jeremy.

Elle découvrit tout ce qu'il allait lui apporter.

– Chloé, appela-t-il, tout contrôle perdu.

– Viens, chuchota-t-elle.

Il vint sur elle, en elle, ils ne firent plus qu'un.

– Oui, oui, souffla-t-elle en l'étreignant.

Doucement, il commença à bouger, puis le rythme s'accéléra pour atteindre une cadence foudroyante. La tension s'accumula, prête à éclater. La promesse de l'extase les harcelait, les torturait, et Jeremy s'enfonça plus profondément encore en elle tandis qu'elle enroulait ses jambes autour des cuisses musclées et se cambrait pour mieux l'accueillir...

– Jeremy!

– Oh oui, Chloé, oui!

D'exquises sensations la submergèrent qui l'entraînèrent au-delà de la réalité.

Après un dernier sursaut, il répandit en elle sa force vitale et un gémissement de plaisir viril sortit de ses lèvres tandis qu'il s'effondrait contre elle, rassasié, toute force envolée. Le visage enfoui dans le nuage parfumé de ses cheveux, il resta haletant.

Lentement, très lentement, ils revinrent de là où ils étaient partis ensemble. Les respirations se calmèrent, les cœurs reprirent un rythme normal, les corps s'apaisèrent.

Aucun des deux ne parlait ni ne bougeait.

Aucun des deux ne voulait briser le charme magique qui les enveloppait encore dans un cocon intime que rien ne pouvait pénétrer.

Enfin, Jeremy se redressa sur les avant-bras, le regard sur le visage de Chloé. Ses joues étaient encore empourprées de passion et ses lèvres dessinaient un sourire.

— Tu es merveilleuse, dit-il.

— Nous sommes merveilleux, ensemble. Je n'ai jamais rien connu d'aussi glorieux.

— Moi non plus. C'est... nous avons été incroyables. Je ferais bien de bouger, je dois t'écraser.

— Non, pas du tout. J'adore tes cheveux ajouta-t-elle en y passant les doigts.

— Vraiment? s'esclaffa-t-il. C'est plutôt moi qui suis fou des tiens. Ils sont beaux. *Tu* es belle. J'avais essayé de deviner leur longueur, de les imaginer libres. Quand je t'ai vue ce soir, dans cette robe, avec cette cascade d'or sur tes épaules, je... eh bien tu m'as vraiment retourné. Ce n'est pas très macho de ma part de l'avouer, acheva-t-il. Mais c'est vrai, Chloé. Troublant mais vrai.

— Chut, souffla-t-elle, un doigt sur les lèvres. Ne parle pas de choses troublantes ou déconcertantes. Il n'y a rien au-delà du monde que nous venons de créer.

Du bout du doigt, elle dessina le contour de sa bouche.

— Je croyais que les psychologues de ton genre insistaient pour que...Chloé, tu me rends fou, à faire ça...pour que les gens regardent leurs problèmes en face.

Son doigt courut des lèvres aux sourcils, suivit le tracé du nez, esquissa de nouveau les lignes de la bouche.

— Je ne parle pas en tant que psychologue mais en tant que femme.

— Alors tout va bien. J'ai l'impression de ne me concentrer que sur la femme qui est en toi, Chloé. Celle qui me fait perdre la tête.

Tandis qu'elle poursuivait l'esquisse de son visage, elle le sentit bouger en elle.

— Et Chloé, la femme, ferait bien de se méfier de ce qu'elle est en train de faire.

— Oui, je sens bien ce qui se passe. Nous formons deux individus, mais en ce moment, nous ne sommes qu'un. Et c'est seulement ainsi que nous pouvons partir pour ce merveilleux endroit.

— Alors viens avec moi, Chloé. Suis-moi.

C'est ce qu'ils firent. Ils partagèrent la passion qui les traversaient, s'élancèrent, grisés, vers un lieu privilégié, leurs deux corps unis dans la danse frénétique de l'amour.

Presque en même temps, ils connurent l'extase.

Accrochés l'un à l'autre, ils savourèrent les sensations qui les parcouraient.

Lentement, ils revinrent à la réalité.

— Oh, là, là, souffla Chloé.

— Incroyable, fit Jeremy en écho.

Il éteignit et nicha Chloé contre lui, les doigts emmêlés dans ses cheveux. Doucement, il l'embrassa sur le front et tira les couvertures sur leurs corps apaisés.

— Tu as sommeil?

– Beaucoup.

– Je crois que je ne pourrais pas bouger, même si on criait au feu.

– Bien, fit-elle en bâillant. Ne bouge pas. Bonne nuit.

– Bonne nuit.

« Bonne nuit ? » songea-t-il.

Cette nuit avait été meilleure que bonne. Il ne l'oublierait pas de longtemps, peut-être jamais. L'amour qu'il avait partagé avec Chloé avait dépassé de loin le simple plaisir physique. Il s'était senti submergé par quelque chose qu'il ne pouvait pas nommer. S'installant dans une position plus confortable, il fit le vide dans son esprit et se laissa aller au sommeil, Chloé à ses côtés.

Avec un soupir de soulagement, Chloé comprit qu'elle était maintenant réveillée et que le cauchemar était fini.

La main sur la poitrine de Jeremy, elle sentait son cœur battre au rythme de sa respiration. Étendue à côté de lui, elle sentait le désir la taquiner au contact·de sa seule chaleur.

« Comme nous nous sommes aimés », songea-t-elle.

Leur amour avait été d'une splendeur indescriptible. Il avait été aussi merveilleusement honnête car chacun s'était donné totalement et avait reçu de même.

Si seulement elle n'avait pas fait ce rêve. Un homme mauvais l'attendait dans l'ombre d'une rue obscure, prêt à l'attaquer. Terrorisée, elle s'était mise à courir à la recherche de Jeremy pour se réfugier dans ses bras. Ses cheveux dansaient librement autour de son visage et elle portait sa robe de mousseline.

Jeremy était apparu, lui intimant de se dépêcher. Mais tout en courant, elle changeait. Elle se retrouvait soudain en tailleur noir, les cheveux retenus sur la nuque.

Sourcils froncés, Jeremy l'avait regardée s'approcher puis avait reculé en prononçant d'horribles paroles. Il n'y avait pas de place dans sa vie pour le Dr Chloé Barlow, psychologue. Seule Chloé, la femme, était la bienvenue. Elle avait essayé de lui expliquer qu'elle était les deux Chloé à la fois, une combinaison des deux et que chacune complétait l'autre.

Mais il avait refermé sur lui une énorme porte tout en secouant la tête. Désolée, elle avait hurlé avant de se retourner vers l'homme sans visage qui avançait vers elle à pas lents.

Appuyée sur un coude, elle baissa les yeux sur Jeremy endormi. Ses sentiments envers lui grandissaient. Ils ne formaient encore qu'un imbroglio confus, mais ils insistaient pour être regardés en face.

Un peu plus tôt, dans ce lit, Jeremy avait déclaré :

— J'ai l'impression de ne me concentrer que sur la femme qui est en toi, Chloé. Celle qui me fait perdre la tête.

Des larmes lui brouillèrent les yeux. Elle se rejeta en arrière pour fixer le plafond obscur.

Jeremy était toujours là, à côté d'elle, son corps tiède pressé contre le sien. Pourtant, elle se sentit soudain glacée et totalement seule.

– Oh, mon Dieu.

Ses mains tremblantes se pressèrent contre ses lèvres pour étouffer un sanglot.

Jeremy ne voulait que Chloé, la femme. Il avait aimé Chloé, la femme, avait ri et souri pour cette part d'elle-même. Le Dr Chloé Barlow avait été repoussé dans l'ombre. Il l'ignorait, refusait de reconnaître sa présence, à moins d'y être obligé. Seule une moitié d'elle-même comptait pour lui.

Étendue dans le noir, les yeux pleins de larmes, elle comprit la triste vérité.

Ce ne serait jamais suffisant.

6

CHLOÉ traversa lentement le parking pour se diriger vers le restaurant. Elle retardait le moment de rencontrer son père et se compara mentalement à un enfant pris la main dans le pot de confiture.

« Après tout, il n'est pas écrit sur mon front que j'ai passé la nuit avec Jeremy. »

Non, il n'était pas écrit qu'ils s'étaient magnifiquement aimés, et que le baiser sensuel de ce matin avait été suivi de caresses expertes et d'une nouvelle union encore plus exquise. Non, elle n'était pas une enseigne au néon, affichant tout ce qui s'était passé entre eux deux.

Mais les pères étaient les pères et elle regrettait d'avoir accepté de déjeuner avec lui. Il avait téléphoné, peu après le départ de Jeremy, pour une partie de tennis avec Vince et elle n'avait aucune raison de refuser l'invitation.

Avec un soupir, elle ouvrit la porte du restaurant et se retrouva un instant plus tard assise en face de son père.

— Alors, papa, lança-t-elle gaiement en essayant

d'éviter son regard, comment vas-tu en ce beau samedi ensoleillé?

— Bien, bien, et toi? Tu as l'air guilleret.

— Guilleret? Oh oui, c'est moi, Chloé la guillerette. Je n'ai pas de raison de ne pas être guillerette alors...

Sa voix hésita.

— Je suis... guillerette.

— Je vois, fit Jack en riant doucement.

— Ah bon? s'inquiéta-t-elle, les yeux écarquillés.

— Êtes-vous prêts à commander? demanda la serveuse.

— Oui, s'exclama Chloé en saisissant le menu. Que prendras-tu, papa?

De nouveau, Jack rit sous cape en prenant le menu. Puis ils commandèrent et la serveuse s'éloigna.

— Alors, mademoiselle Guillerette, quoi de neuf avec Jeremy Harris? Puisque tu es guillerette, j'en conclus que tout va bien avec lui?

— Oui, en quelque sorte. Non, pas exactement, dit-elle en jouant avec sa serviette.

Lentement, elle leva les yeux vers lui.

— Jeremy est très spécial, papa. Avec lui, je me sens. .. Je veux dire, je ne me suis jamais sentie aussi...Enfin...

— Chloé, confie-toi à ton vieux père. Je peux dire que tu aimes bien Jeremy. Je trouve cela merveilleux, mais apparemment, quelque chose ne va pas.

— Oh, papa, je suis vraiment perplexe. J'aime

bien Jeremy, je suis peut-être en train de tomber amoureuse de lui, mais à moins qu'il ne change d'opinion sur mon métier, nous allons avoir des problèmes.

– Continue, je t'écoute.

– Je sais que certains médecins considèrent le bureau du psychologue comme un endroit pratique pour y envoyer les patients qui ne sont pas malades physiquement, mais ont besoin qu'on leur prête attention, qu'on les écoute.

– Cette attitude n'est pas nouvelle pour toi. Tu t'y es déjà heurtée par le passé.

– Je sais, et j'ai toujours ignoré ceux qui dénigraient ma profession, car je crois en ce que je fais. J'ai la preuve que je peux aider ceux qui viennent me voir. Mais là, il s'agit de Jeremy, et j'ai du mal à accepter qu'il lève les yeux au ciel en secouant la tête quand je lui dis que consulter un psychologue apporte plus à une personne qu'un sujet de discussion dans les soirées. Jeremy ne s'intéresse qu'à la femme qui est en moi. Le Dr Chloé Barlow peut aller au diable.

En silence, Jack hocha la tête et mangea une bouchée du steak que venait d'apporter la serveuse.

– Son attitude te fait mal, n'est-ce pas?

– Oui, murmura-t-elle en le regardant.

– N'oublie pas qu'il est un produit de l'environnement dans lequel il a grandi et du cercle social qu'il fréquente. La seule reférence qu'il ait en matière de psychologie ne vient sans doute que de ce qu'il a entendu dire.

90

– J'imagine ce qu'il a pu entendre de ces gens blasés pour qui suivre une analyse est *la* chose à faire. Ceux-là, je leur dis tout de suite qu'ils n'ont pas besoin de mon aide. Bon sang, papa, reprit-elle après une pause, je ne peux pas fréquenter un homme qui ne s'intéresse qu'à la moitié de ce que je suis.

– Je comprends bien, mais Jeremy ne peut pas changer d'opinion du jour au lendemain. Il lui faut le temps d'étudier ce qu'est ton métier. Jeune dame, il faut te montrer patiente. Tu as trouvé un homme qui te plaît et tu voudrais que tout soit parfait. Malheureusement, la vie ne fonctionne pas toujours comme cela.

Chloé piqua brutalement sa fourchette dans un morceau de fromage.

– Eh bien, tu ne me l'envoies pas dire, docteur Barlow. Il faut que j'arrête de me conduire en gamine gâtée et que je sois patiente. Il faut lui laisser le temps de découvrir ce que je fais.

– C'est cela. Maintenant arrête de bouder et avale ta bouchée. Je vais jouer au golf avec Bill Cooper cet après-midi et vu la lenteur avec laquelle tu déjeunes je vais être en retard.

– Tu as parlé avec Bill? T'a-t-il dit que Mildred Fairchild, la mère de la jeune fille qui s'est tuée avec Jeff, était sortie de l'hôpital psychiatrique?

– Non, il n'y a pas fait allusion. Pourquoi?

– Je me demandais. L'appartement de Jeremy a été saccagé et Vince Santini, son ami détective, essaie d'obtenir un mandat pour interroger Mildred Fairchild.

– Elle a menacé beaucoup de monde après l'accident, je crois.

– Oui, mais les médecins l'ont déclarée saine d'esprit, à présent.

– Ils vont la protéger, tu sais. Il faut qu'elle commence une nouvelle vie et les médecins verront d'un mauvais œil que la police veuille l'interroger. Je demanderai à Bill ce qu'il en pense. Si j'arrive au terrain de golf. Veux-tu manger, s'il te plaît?

– Oui, oui, d'accord. Tu vois? demanda-t-elle en ingurgitant une feuille de salade.

– Ne parle pas la bouche pleine.

– Les pères seront toujours des pères!

– Et celui-ci t'aime beaucoup.

– Je sais, papa, dit-elle avec un chaleureux sourire, je sais.

Après avoir terminé leur partie de tennis, Jeremy et Vince se dirigèrent par des rues animées vers le restaurant qu'ils avaient choisi.

– Tu te sens mieux? demanda Jeremy. Tu as gagné tous les jeux et tu as failli me tuer par la même occasion. Ca devrait atténuer ton stress. De plus, Vince, ce n'est pas comme si ton supérieur ne t'avait pas écouté et n'avait rien fait.

– Tu as raison, grommela Vince. Il a appelé le médecin de Mildred Fairchild pour lui raconter ce qui s'était passé depuis sa sortie de l'hôpital. Celui-ci assure que Mildred a suffisamment récupéré pour que l'on puisse l'interroger sur ce qu'elle a fait le jour où ton appartement a été saccagé.

— Mais elle n'est pas à Los Angeles.

— Exact. Elle devait aller rendre visite à sa sœur en Floride avant de réintégrer définitivement sa maison. Mais il ne connaît pas le nom de la sœur. Ce qui fait que je retourne à la case départ. Est-elle vraiment en Floride ou se cache-t-elle quelque part ici? J'ai l'intention de trouver la réponse.

— Quel Italien entêté, tu fais.

— J'en suis fier. Comment va Chloé?

— Il faut que je t'en parle. Entrons nous installer à une table.

Après que la serveuse eut noté leur commande, Jeremy prit une profonde inspiration et regarda son ami.

— Bon. Écoute sérieusement ce que je vais te dire, d'accord?

— Entendu. Que se passe-t-il?

— C'est Chloé. Je... Vince, si je tombais amoureux d'elle, je le saurais, n'est-ce pas?

— C'est à moi que tu le demandes? Je n'ai jamais été amoureux. C'est peut-être simplement un excès de libido.

— Non, c'est plus que cela. Mes sentiments sont en jeu et... c'est idiot. Je ne veux pas être amoureux en ce moment. Je ne sais même pas si j'y suis. Comment est-on censé le savoir? De plus, Chloé et moi allons sans doute nous disputer à cause de son métier. Écoute bien : elle prétend que regarder des poissons nager dans un aquarium aide à diminuer le stress. Des poissons! Tu te rends compte?

– Oui, absolument. Un psychiatre est venu faire une conférence aux chefs de département de la police, à propos de la fatigue des flics, du taux élevé de divorce, de l'anxiété et ainsi de suite. Il a dit exactement cela au sujet des poissons. On a même pensé acheter à notre supérieur un aquarium plein de piranhas! Ta petite amie sait de quoi elle parle. J'ai l'impression que tu ne connais pas grand-chose de son métier. Qu'as-tu contre la psychologie?

– Les poissons, vraiment... Incroyable. J'avais tort aussi pour le sport. Ça réduit le stress parce que ça produit dans l'organisme quelque chose appelé peptides. Oh, zut, je ne sais plus, Vince. C'est simplement qu'à chaque soirée où je suis allé ces dernières années, les gens se vantaient d'être en analyse. Même la fille avec laquelle je sortais pouvait dire un boniment du style « mon analyste dit que je dois découvrir mon moi profond. » C'est à la mode, d'aller chez le psy, mais je n'ai jamais pris cela sérieusement. J'ai toujours pensé qu'ils se faisaient de l'argent sur le dos des gens blasés.

– Chloé serait enchantée de t'entendre parler comme cela, lança Vince sèchement.

– Bon sang, tu serais impressionné, toi, par quelqu'un qui te conseille de faire du sport à mort puis de regarder un poisson? Bon, d'accord, il y a du bien-fondé là-dedans, mais... Je l'aime bien.... Plus que ça, même. Elle, Chloé. La femme. Et qu'est-ce que ça peut faire si je ne suis pas emballé par son métier?

– Qu'est-ce que ça peut faire? dit Vince en se penchant, les coudes appuyés sur la table. Tu plaisantes, mon vieux. C'est parfait si tu veux avoir une aventure avec Chloé. Mais supposons qu'il y ait plus que cela. Supposons que tu sois amoureux d'elle. Alors, ton attitude ne tiendra pas. Pourquoi penses-tu que tant de flics divorcent? Leurs femmes n'ont rien à voir avec ce qu'ils vivent ici. Ce n'est la faute ni de l'un ni de l'autre. C'est comme ça, c'est tout. Chloé n'est pas seulement une jolie femme, Jeremy. C'est une spécialiste. Tu ferais mieux de l'accepter, de respecter son métier ou de la quitter.

– Depuis quand es-tu un tel expert en femmes? fit Jeremy l'air renfrogné. Tu sautes de lit en lit, Santini. Les draps n'ont pas le temps de refroidir avant que tu t'en ailles.

– Oui, c'est un choix que j'ai fait il y a longtemps. On ne peut pas être flic et mari. Toi, si tu tombes amoureux, tu feras bien de respecter ta femme... telle qu'elle est..., comme elle est.

– Ce que tu peux être content de toi. J'espère que tu en pinceras bientôt pour une femme et que tu souffriras.

– Cela ne risque pas d'arriver.

– En es-tu sûr? Je crois l'avoir dit plus d'une fois dans le passé. Et puis j'ai rencontré Chloé Barlow.

– Une jolie femme qui se trouve être aussi...

– Psychologue. Je crois qu'il faut que je réfléchisse sérieusement, acheva Jeremy en hochant la tête.

— Tu...

Un bourdonnement l'interrompit. Vince pressa un bouton sur le boîtier attaché à sa ceinture.

— On m'appelle. Je vais téléphoner et je reviens.

— Entendu, répondit Jeremy distraitement.

Pourquoi Chloé avait-elle choisi une telle profession? Et comment ferait-il pour se persuader que c'était la plus belle chose au monde depuis l'invention du pain en tranches? Quel histoire! Quelle sale histoire!

Vince réapparut mais ne s'assit pas.

— Au revoir le déjeuner. Viens. Comme tu es concerné, autant que tu le voies tout de suite.

— Voir quoi? Où allons-nous? demanda Jeremy en se levant.

— A mon bureau. On a trouvé une enveloppe sur mon bureau, avec mon nom dessus, en lettres découpées dans un journal. Le commissaire l'a fait ouvrir par l'équipe de démineurs.

— Ça alors! Et?

— C'était un message.

Sa voix n'était qu'un murmure et Jeremy avait du mal à l'entendre.

— En lettre découpées, comme mon nom sur l'enveloppe.

— Que disait ce message?

— Il disait : « Tous paieront pour les péchés passés. Vôtre dans la mort. Jeff Cooper. »

— Vince, c'est idiot. On dirait que quelqu'un se venge de la mort de Jeff, mais l'accident était de sa faute. Ça n'a pas de sens.

— Un esprit dérangé en a rarement.

– Mildred Fairchild?

Vince se passa la main sur la nuque.

– Je ne sais pas, mais je vais tout faire pour le découvrir. Tu viens?

– Bien sûr. On a vu Chloé avec moi, et elle pourrait être en danger aussi. Rien ne lui arrivera, Vince, je le jure. Rien ne lui arrivera.

Tout en arrangeant son pull bleu pâle sur son jean, Chloé se dépêcha d'aller ouvrir, un grand sourire aux lèvres.

– Bonjour, Jeremy. Entre.

« Épatant, en jean et polo vert. »

– Cette partie de tennis s'est bien passée?

Devant ses sourcils froncés, elle reprit :

– Que se passe-t-il?

Sans dire un mot, il la prit dans ses bras pour l'embrasser.

Bien que le désir menaçât de lui faire perdre tout bon sens, Chloé gardait conscience de la tension du jeune homme. Il la tenait si étroitement qu'elle avait du mal à respirer. Le baiser était brutal, impatient. Pour se libérer, elle mit les mains à plat contre sa poitrine et le repoussa.

– Jeremy, haleta-t-elle.

– Comment? fit-il, momentanément confus. Oh, Chloé, excuse-moi. L'ayant relâché, il lui prit tendrement le visage entre les mains.

– T'ai-je fait mal? s'enquit-il, anxieux.

– Non, tu ne m'as pas fait mal, mais je vois bien que quelque chose ne va pas. Tu es tellement tendu, c'est miracle si tes os ne craquent pas.

– Ça se pourrait, fit-il en s'efforçant de sourire. Je me sens assez vieux pour avoir les os qui craquent en ce moment. Mon niveau de stress doit être au plus haut.

Ses sourcils se froncèrent.

– A la vérité, j'ai un mal de tête lancinant. Autant vous l'avouer, docteur Barlow, je suis stressé au maximum.

– Eh bien, monsieur Harris, venez donc vous asseoir pour me raconter ce qui ne va pas.

Lorsqu'ils furent installés côte à côte sur le divan, il la regarda.

– Je me rends compte que j'ai disparu toute la journée, puis que je t'ai téléphoné pour te dire que j'arrivais. Ce n'est pas une conduite très sociable et je te prie de m'en excuser. J'étais avec Vince.

– Et?

– Jamais je ne pourrais être policier. Rien que ce qui se passe au poste est sinistre. Quoi qu'il en soit, Vince a reçu des menaces, les lettres avaient été découpées dans un journal.

– Mon Dieu, comme au cinéma!

– Dans la vie courante, ce n'est pas drôle, crois-moi. Le message disait que tous paieraient pour les péchés passés et était signé du nom de Jeff Cooper, toujours en lettres découpées.

– Mais Jeff est...

– Mort. Je sais, et c'est complètement fou parce que l'accident était de sa faute. D'après la lettre, on dirait que c'est une vengeance de sa mort, mais c'est lui-même qui s'est tué. J'ai passé des heures avec Vince au laboratoire. C'est incroyable. Ils ont trouvé la marque du papier servant de support au message, que les lettres avaient été découpées dans le *Los Angeles Times*, le fabricant de l'enveloppe. Des informations intéressantes, mais sans valeur parce que rien n'est unique, là-dedans. Personne ne sait comment l'enveloppe est arrivée sur le bureau de Vince. Il y a toujours tout un tas de gens qui circulent, là-bas. Tout à coup, on l'a remarquée, tout simplement.

– Des empreintes?

– Aucune. Chloé, il y a quelqu'un qui joue un drôle de jeu et je deviens fou quand je pense que tu es en danger.

– Moi? Je t'ai dit que je n'avais pas revu Jeff depuis plusieurs années, lorsqu'il est mort.

– Mais on t'a vue avec moi. Tant que Vince n'aura pas rencontré Mildred Fairchild pour se convaincre de son innocence, il continuera de penser que tous ceux qu'elle a menacés à la mort de sa fille sont en danger. Il n'est pas certain que tu figures sur la liste à cause de moi, mais je ne veux courir aucun risque.

– Ce qui signifie?

– Que je ne vais plus te voir pour donner l'impression que nous sommes sortis ensemble mais que maintenant c'est fini entre nous.

Le jeune femme se pencha jusqu'à ce que son nez touche celui de Jeremy.

– N'est-ce pas un peu exagéré?

– Tentation, tu as pour nom Chloé, déclara-t-il en déposant sur ses lèvres un rapide baiser.

– Arrête, Jeremy, dit-elle en se redressant. Tu

supposes seulement que je suis en danger. En fait, tu n'es même pas certain que Mildred Fairchild soit impliquée dans cette histoire. Je n'aime pas que des forces extérieures contrôlent ma vie, pas du tout. Je crois que nous ne devons pas cesser de nous voir à cause d'un « peut-être ».

– Ce plan ne me plaît pas beaucoup non plus. mais je tiens trop à toi, fit-il en se relevant. Alors, ne me complique pas les choses et obéis-moi.Ses yeux lançaient des éclairs lorsqu'elle se leva.

– Je ne veux pas...

– Écoute, dit-il d'un ton plus doux en la prenant par les épaules en un geste de tendresse. Tu ne peux pas nier qu'il se passe quelque chose entre nous. Personnellement, je n'ai pas encore déterminé ce que c'était, mais ce que je sais, c'est que je ne supporterais pas qu'il t'arrive malheur. Je ne pourrais pas me le pardonner.

Il la secoua un peu.

– Chloé, peux-tu nier qu'il y a entre nous quelque chose de très spécial? Tu le sens, hein? Tu le sens?

– Oui, chuchota-t-elle.

Il leva la main pour passer les doigts dans les cheveux soyeux de la jeune femme.

– Je donnerais n'importe quoi pour que cette Mildred Fairchild ou qui que ce soit, ne nous cause pas tous ces soucis. Je voudrais me concentrer sur toi, sur nous, trouver la réponse à tant de questions.

Baissant la tête, il lui effleura les lèvres. Le contact sensuel de cette légère caresse la fit trembler.

– Il faut que je m'éloigne de toi, pour l'instant, Chloé. Il faut que je te sache en sécurité. Comprends-tu?

– Oui, je... moi aussi, il faut que je sache que tu es en sécurité. Oh, Jeremy, il y tant de questions sans réponses, comme tu dis. Je ne sais plus où j'en suis et je déteste cela.

– Quand nous parvenons à fermer la porte sur nous et à tout laisser à l'extérieur, nous nous créons notre propre univers. Oh, comme je te désire.

Sa bouche fondit sur la sienne et Chloé entrouvrit les lèvres pour accueillir la caresse sensuelle de sa langue. Ses bras se nouèrent autour de sa nuque et ses doigts plongèrent dans les épais cheveux d'encre.

Appuyée contre lui, elle pressait ses seins contre sa poitrine. Des seins qui gonflaient, avides de sentir le contact de ses mains et l'exquise sensation de sa bouche contre leur tendre peau.

Les mains de Jeremy glissèrent de sa tête à ses hanches et il la nicha contre lui, contre l'évidence du désir qu'il éprouvait. S'arrachant à leur étreinte, il la porta sur le divan où il la rejoignit, appuyé sur les avant-bras. Leurs bouches s'unirent à nouveau en un baiser avide, riche de passion, qui les consuma comme un feu étincelant.

Il gémit. Elle ronronna. Il passa la main sous son pull pour trouver un sein. Du pouce, il en caressa le bout jusqu'à ce qu'il se tende contre la fine dentelle du soutien-gorge.

– Oh, Jeremy, je t'en prie, murmura-t-elle. Ne me fais pas attendre. Je te désire tant.Dans ses yeux, il lut le désir qu'il savait être le reflet du sien. Déjà, ils n'étaient plus qu'un en esprit et le seraient bientôt de corps.

– Jeremy?

– Oui, je te veux, prononça-t-il d'une voix rauque.

Avec le moins de gestes possibles, il dépouilla le tendre corps de ses vêtements. Les siens suivirent en tas sur le sol. Ses mains se posèrent sur ses seins, puis sa bouche en savoura un tandis qu'il s'allongeait sur elle. Elle se cambra pour offrir plus, recevoir plus, demander plus.

Les lèvres de Jeremy quittèrent sa poitrine pour tracer un ruban de baisers sur sa peau délicate. Plus bas, encore plus bas. Jusqu'à l'essence de sa féminité.

– Oh, Jeremy, supplia-t-elle en un sanglot. Viens en moi. Je veux... Je veux te sentir en moi.

Sa bouche remonta jusqu'à la sienne.

Puis il fut en elle, se plongeant dans l'accueillante chaleur veloutée qui l'attendait. Leur union ne fut ni lente ni timide. Elle fut menée sur un rythme rageur, implacable, sans aucune retenue.

Ils s'envolèrent jusqu'au bord de l'abîme, y planèrent un instant puis s'y écroulèrent, agrippés l'un à l'autre, consumés par le même plaisir.

Puis, calmés, rassasiés, ils restèrent enlacés, immobiles. Le temps avait cessé d'exister. Ils étaient ensemble et rien d'autre n'avait d'importance.

Enfin Jeremy releva la tête de l'odorant oreiller que formait la chevelure de Chloé, et lui effleura les lèvres. Quittant à regret le havre accueillant de son corps, il s'installa à côté d'elle, appuyé sur un coude, et lui sourit.

— Bonjour, murmura-t-elle d'un ton sensuel.

— Dois-je dire « Quel hasard de te rencontrer là » ? Ou bien, « Qu'est-ce qu'une jolie fille comme toi fait toute nue sur un divan ? » Hein ? Réponds donc à ça, s'esclaffa-t-il.

— Cette jolie fille est nue sur le divan parce qu'elle vient juste de connaître l'extase avec...

« L'homme qu'elle aime » ? songea-t-elle

— Un homme très spécial.

— Ah, je vois. Ca explique tout. Quelle coïncidence, madame. Je viens moi-même de connaître l'extase avec une dame très spéciale.

Était-il amoureux de Chloé ? Il fallait le découvrir.

— C'était fantastique, incroyablement beau.

Il marqua une pause avant de reprendre :

— Excuse-moi de casser l'ambiance, Chloé, mais il faut en revenir à notre plan de ne plus se voir jusqu'à ce que Vince découvre ce qui se passe avec Mildred Fairchild.

— Je n'aime pas cette idée d'en être réduite à faire quelque chose par quelqu'un que je connais même pas.

— Je comprends. Écoute, Vince s'occupe sérieusement de l'affaire. Et laisse-moi te dire qu'il est en colère. Ça ne devrait pas durer longtemps. Entre-temps, je ne veux pas...

– Te mettre en danger en restant avec moi, acheva-t-elle à sa place.

Le téléphone sonna.

– Tu n'es pas sauvée par le gong. Nous en reparlerons, dit-il en attrapant le récepteur qu'il lui tendit.

Avec un froncement de sourcils dans sa direction, elle salua son correspondant.

– Chloé? C'est papa. Je suis désolé de t'embêter, ma chérie, mais je suis tellement bouleversé...

– Papa? Que se passe-t-il?

– C'est Butch. Il a été empoisonné. Je suis chez le vétérinaire, le Dr Timbers. Il ne sait pas si Butch s'en sortira. Butch se bat mais il a douze ans et... J'aime mon vieux chien. Je l'aime.

– Moi aussi. J'arrive papa. Je veux être avec toi et Butch. Bon sang, qui ferait une chose pareille à un animal aussi gentil que Butch? De toute façon, j'arrive.

– Merci, ma chérie.

Après avoir raccroché, Jeremy s'assit au bord du divan.

– Butch? s'enquit-il en se baissant pour ramasser ses vêtements.

Sans souci de sa nudité, elle se leva.

– Je vais me doucher rapidement et enfiler d'autres habits.

– Un instant, que se passe-t-il?

– Butch, notre chien, a été empoisonné. Oh, Jeremy, mon père a l'air bouleversé. Il faut que j'y aille.

– Je t'emmène.

– Entendu. Qui a pu faire une chose aussi horrible? Butch n'a jamais fait de mal à personne. Quel genre de personne pourrait essayer délibérément de tuer une bête aussi douce que Butch? Ça n'a pas de sens!

– Chloé?

Alors qu'elle se dirigeait vers la chambre, elle s'arrêta pour se tourner vers lui.

– Oui?

– La même personne qui saccage les appartements et envoie des lettres de menace.

– Tu crois que c'est lié à...

Ses yeux s'écarquillèrent.

– Pourquoi? Parce que je te connais, que mon père est mon père et que Butch est son chien? Jeremy, c'est insensé.

– Je me trompe peut-être, mais je ne veux pas courir de risque. Pendant que tu t'habilles, je vais essayer de téléphoner à Vince. Quel est le nom du vétérinaire chez lequel nous allons?

– Dr Timbers, Huitième rue. Oh, Jeremy, c'est effrayant.

– Je le sais, crois-moi, je le sais, répondit-il en décrochant le téléphone.

7

JEREMY sur les talons, Chloé franchit en courant le seuil du vétérinaire. Jack se leva aussitôt et la jeune femme le serra dans ses bras.

— Comment va Butch? demanda-t-elle en essayant de lire la réponse sur son visage.

— Je ne sais pas. Je n'aurais pas dû t'appeler. Je me conduis comme un vieux gâteux. Tout à coup, je n'en pouvais plus d'être assis là, à attendre, à me demander si Butch allait...

L'émotion le fit hésiter sur les mots.

— Excuse-moi, reprit-il.

— Quand j'avais dix ans, intervint doucement Jeremy, mon père, ma mère et moi avons passé une nuit entière dehors sous la pluie à chercher notre chien Poivre. A l'aube, nous sommes rentrés en titubant, épuisés, mouillés... et sans avoir trouvé Poivre. Celui-ci est sorti de dessous mon lit et nous a accueillis en remuant la queue, avec ce que je jurerais être un sourire. Mon père ne lui a pas adressé une parole pendant toute la semaine. Croyez-moi, monsieur, je sais ce que c'est que d'aimer un chien. C'est un membre de la famille. Au fait, je suis Jeremy Harris.

Les yeux brouillés de larmes, Chloé le regarda. Il avait raconté cette histoire pour diminuer l'embarras de son père.« Que de sollicitude en lui » songea-t-elle.

Il la surprenait continuellement en révélant une autre dimension de lui-même, un aspect de lui qu'elle n'avait pas encore vu. Et chaque nouvelle découverte faisait croître les sentiments qu'elle lui portait. Était-elle amoureuse de lui? Comment trouver la réponse à cette question? Où la trouver?

— Jack Barlow, dit son père en tendant la main à Jeremy. J'apprécie votre compréhension concernant mes sentiments pour Butch. On dirait que ma fille, reprit-il après une pause, ne sait plus se conduire en société.

— Comment? s'exclama-t-elle en sortant de sa rêverie. Oh, j'ai oublié de vous présenter. Excusez-moi. Papa, quand en saura-t-on plus sur l'état de Butch?

— Le Dr Timbers essaie de déterminer le genre de poison pour appliquer le traitement approprié... s'il y en a. J'ai l'impression que cela prend une éternité, c'est tout. Pour un médecin, je ne me conduis pas très bien. Quand j'ai trouvé Butch près de la haie, dans la cour, j'ai...

Il secoua la tête.

— Pensez-vous que ce qui contenait le poison a été jeté par-dessus la haie? s'enquit Jeremy. Le poison a dû être mis dans quelque chose d'appétissant pour Butch.

– C'est ainsi que je le vois. Si je pouvais mettre la main sur celui qui a fait cela. C'est vicieux, insensé. Il va falloir que j'avertisse les voisins de se méfier de ceux qui empruntent la rue. Le type a dû en ressentir une telle excitation qu'il va peut-être essayer de recommencer. Je me souviens que tu m'as expliqué cette mentalité, Chloé, quand tu étudiais à l'université.

– Tu as étudié le fonctionnement de l'esprit criminel? s'étonna Jeremy.

– De fond en comble. Ils ont souvent une conduite standard qu'un psychologue ou un psychiatre expérimenté peut prévoir, permettant ainsi à la police d'anticiper l'acte suivant.

– Oh! fit-il en fronçant les sourcils, je ne savais pas que tu... Bon, nous en reparlerons plus tard. Ce qui m'inquiète, pour l'instant, c'est la possibilité que ce choix n'ait pas été fait au hasard, mais que la nourriture empoisonnée ait bien été préparée pour Butch.

– Pourquoi quelqu'un voudrait-il empoisonner un vieux chien paresseux qui n'aboie même pas sauf si l'envie lui en prend? Ça n'a pas de sens, rétorqua Jack.

– Je peux me tromper, docteur Barlow, mais je ne veux rien laisser au hasard. J'ai raporté l'incident à...

La porte s'ouvrit sur Vince

– ... ce monsieur, acheva Jeremy.

Se souvenant des bonnes manières, il le présenta à Chloé et à son père. Vince garda entre les siennes la main de la jeune femme.

– C'est vraiment un grand plaisir de vous rencontrer, assura-t-il.

– Ca suffit, dit Jeremy avec un geste dans le vide. Chloé, ne prête pas attention à ce satané Italien. Il devient toujours étrange en présence d'une jolie femme.

Comme Vince lui baisait la main, Chloé se mit à rire. L'instant d'après il redevenait sérieux pour faire à Jack Barlow un résumé rapide des événements.

– Papa, en jouant au golf avec Bill Cooper, lui as-tu demandé quelle était son opinion là-dessus ?

– Oui. Il trouve que le saccage de l'appartement de Jeremy à cet instant précis est plus qu'une coïncidence. A son avis, cela met en accusation Mildred Fairchild. Apparemment, il ne voulait pas en discuter plus avant, car cela lui rappelle de trop pénibles souvenirs de Jeff. Alors j'ai laissé tomber le sujet.

– Une idée sur l'endroit où peut se trouver Mildred Fairchild, Vince ? s'enquit Jeremy.

– Non, je fais surveiller sa maison au cas où elle y reviendrait. On dirait qu'elle a disparu à l'instant même où elle quittait l'hôpital. J'ai un mandat pour l'interroger, mais où diable est-elle ? Et ici, où en sommes-nous ?

– Le vétérinaire essaie de déterminer quelle sorte de poison on a donné à Butch, expliqua Chloé.

– Bien. Ça pourra m'aider, acquiesça Vince.

– Vous croyez vraiment que ça a un rapport avec ce qui est arrivé à Jeremy ? s'étonna Jack.

Butch a été empoisonné parce que c'est mon chien, que je suis le père de Chloé et que Chloé fréquente Jeremy? Ce n'est pas un peu tiré par les cheveux?

— Pas vraiment, papa. Au début, j'ai trouvé moi aussi que Jeremy réagissait outre mesure. Mais à la réflexion, et en me rappelant ce que j'ai appris à la faculté, je crois que la théorie est bonne. L'audace de cette personne peut indiquer qu'elle espère être prise et arrêtée. Or il – ou elle – est comme dans un tunnel et essaie désespérément d'accomplir ce qu'il s'est fixé sans s'inquiéter de son propre sort. En d'autres termes, il est prêt à mourir pour exécuter ce qu'il a décidé de faire.

— Bravo, fit Vince. C'est exactement ce que m'a expliqué le psychologue de la police. Le problème, avec cette théorie, c'est le manque de temps de Mildred Fairchild pour collecter des informations sur Chloé, Jack et Butch. Cela me trouble.

— Je comprends, dit Jeremy. Elle n'est pas sortie de l'hôpital depuis assez longtemps pour avoir pu rassembler tous ces éléments.

— C'est un autre morceau du puzzle. J'ai lu un de vos articles, Chloé, sur les femmes meurtrières. Vous savez ce à quoi nous sommes confrontés en essayant de comprendre Mildred Fairchild.

Jeremy fixa la jeune femme.

— Sans blague? Je ne savais pas que tu publiais des articles. Pourquoi perds-tu ton temps avec des gogos qui souffrent de stress?

– Ma spécialité, c'est le stress dû au travail, soupira-t-elle. Pour moi c'est essentiel, car le stress peut tuer. C'est aussi cette spécialité que j'utilise intensément quand je travaille avec des anciens du Viêt-nam en thérapie de groupe.

– Tu travailles avec des vétérans du Viêt-nam? fit-il, incrédule. Ces types ont vécu l'enfer. Je ne savais pas que tu pouvais aider des gens comme eux.

– Il y a un satané tas de choses que tu ne sais pas, mon vieux, grommela Vince, mais revenons-en à notre sujet. Nous avons affaire à un fou – ou une folle – qui peut élargir son champ d'action pour faire payer la mort de Jeff. Docteur Barlow, j'aimerais envoyer chez vous des gens du laboratoire pour qu'ils examinent votre cour et le trottoir qui la borde.

– Oui, bien sûr.

– Je ne trouverai vraisemblablement rien, mais je ne veux rien négliger de ce qui pourrait nous donner une idée sur l'identité de ce mauvais plaisant. Je suppose que vous ne connaissez personne susceptible d'avoir fait ça à votre chien? Un voisin mécontent? Un de vos patients voulant se venger de la mort de quelqu'un qui lui était cher?

Lentement, Jack secoua la tête.

– Je ne vois pas. Je suis en retraite, maintenant. Je connais mes voisins depuis des années... Non, je crois que je ne puis vous être d'aucun secours.

– Bon. Si vous pensez à quelque chose, appelez...

La porte du cabinet s'ouvrit et un jeune homme aux cheveux roux et aux épaisses lunettes entra pour se diriger vers le groupe.

– Ça y est, dit le Dr Timbers avec un grand sourire sur son fin visage. On verra si mon assistant continue de se moquer du laboratoire que j'ai installé dans la pièce du fond. J'ai isolé le poison donné à Butch et je lui ai administré l'antidote.

– Oh, c'est merveilleux, s'exclama Chloé. Butch réagit-il au traitement?

Le Dr Timbers s'esclaffa.

– Il vient de battre de la queue sur un rythme endiablé. Il est définitivement en voie de guérison.

– Dieu merci, fit Jack en s'éclaircissant la gorge.

– J'aimerais bien garder Butch pour la nuit de façon à pouvoir le surveiller et lui administrer un nouvel antidote si besoin était. Et je vous promets de lui tenir la patte s'il a le mal du pays! Pour l'instant, il vous réclame; vous feriez bien d'aller lui dire bonjour. Il est dans la pièce centrale.

– Viens, papa, dit Chloé en prenant son père par le bras. Merci, docteur Timbers.

– Je vous en prie. Butch est un bon vieux chien.

– Docteur, dit Vince une fois que Jack et sa fille furent sortis, je suis le lieutenant Santini. Quel poison a été utilisé?

– Du métaldéhyde, lieutenant. Ça se trouve

dans les produits qu'on utilise au jardin contre les escargots.

– Les escargots? s'étonna Jeremy.

– Ils font de gros dégâts, par ici, expliqua le Dr Timbers. Ces petits bougres peuvent dévorer un jardin entier si vous les laissez faire. Ce poison est très efficace. Il attire les escargots et les fait mourir de déshydratation. Vous pouvez en acheter dans n'importe quelle droguerie. Sur la boîte figure un avertissement comme quoi c'est un produit dangereux qui peut être fatal s'il est absorbé par des enfants ou des animaux domestiques.

– Magnifique, marmonna Vince.

– Toute personne possédant un jardin peut donc avoir ce produit-là? s'enquit Jeremy.

– Si elle ne l'a pas encore, elle ne tardera pas à s'en procurer. On s'attend à ce que les escargots soient particulièrement redoutables, cette année, à cause des pluies du printemps. Ce que les escargots ne mangeront pas, les sauterelles s'en chargeront si le jardinier n'y prend pas garde.

– Compris, fit Vince en tirant une carte de sa mallette pour la tendre au vétérinaire. Voulez-vous m'appeler si vous pensez à quelque chose qui pourrait m'être utile?

Le Dr Timbers y jeta un coup d'œil.

– Entendu. Je suppose qu'il s'agit d'une affaire plus grave qu'un empoisonnement de chien?

– J'en ai peur.

Chloé revint les rejoindre.

– Butch va bien. Je ne sais pas comment vous remercier, docteur. Mon père souhaiterait rester encore un peu, si ça ne vous gêne pas.

– Bien sûr. Je serais heureux d'avoir de la compagnie. Butch est un vrai chef d'orchestre, avec sa queue, mais ce n'est pas un interlocuteur passionnant pour discuter cinéma et littérature.

– J'ai remarqué que vous aviez retiré le collier de Butch. Puis-je le reprendre?

– Butch ne portait pas de collier quand le Dr Barlow me l'a amené, rétorqua le Dr Timbers en fronçant les sourcils.

– Je vais lui demander s'il le lui a retiré en le trouvant dans la cour, dit Vince en se dirigeant vers la porte.

– Il faut que j'y aille, maintenant, dit le vétérinaire. Bonsoir, messieurs dames.

– Merci encore, dit Chloé.

Jeremy lui passa le bras autour de la taille et l'attira contre lui pour lui embrasser la tempe.

– Comment vas-tu?

– Ca va, maintenant, Jeremy. Merci d'être venu avec moi et d'avoir compris à quel point mon père était bouleversé. Tu es un homme plein d'attentions.

– Je suis aussi sexy.

– C'est vrai.

Se penchant sur elle, il lui captura la bouche.

– Hé, pas de ça ici, fit Vince en réapparaissant. Article 4-14.32. Pas de jeu de mains dans les bureaux de vétérinaires. Vous méritez une amende, jeunes gens.

– Quel humour, fit Jeremy tandis que Chloé éclatait de rire. Un flic italien vraiment rigolo. Tu vas bientôt pouvoir écrire des feuilletons comiques pour la télé!

– J'y pensais justement, rétorqua-t-il. Pas de collier de chien, reprit-il après une pause. Le Dr Barlow ne l'a pas retiré et n'a pas remarqué non plus que Butch ne le portait pas. Nous allons vérifier dans sa cour, mais je doute qu'il y soit.

– Où est-il donc alors? s'étonna Chloé.

– Je parie ce que vous voulez qu'on me l'a fait livrer au poste de police. Notre charmant ami aura voulu s'en vanter.

– C'est incroyable.

– Tu l'as dit, Harris. Je te tiendrai au courant. Il faut que je m'en aille.

– J'ai été ravie de faire votre connaissance, dit Chloé.

– Merci d'être venu, Vince, ajouta Jeremy.

– Je ne refuse jamais une invitation, fit-il. A bientôt.

– Quel homme sympathique, remarqua Chloé après le départ de Vince.

– L'un des meilleurs. Tu es prête à rentrer à la maison?

– Oui. J'ai dit à mon père que nous partions. Je me sens fatiguée, tout à coup.

– Le stress. Tu souffres de stress. J'en connais un rayon, là-dessus.

– Ça suffit, hein!

En riant, il franchit la porte derrière elle. L'air était frais. Le ciel était constellé d'étoiles argentées. Lentement, ils se dirigèrent vers la voiture de Jeremy.

– Jeremy, fit soudain Chloé en s'arrêtant brusquement, tu n'entends rien? C'est... c'est un bruit inhabituel, mais joli, une sorte de bourdonnement.

– Oui, je l'entends aussi. Ce sont des criquets?

– Non. Je n'ai jamais rien entendu de tel. C'est... Comment dire? C'est apaisant, consolant, d'une certaine façon. Je me demande où...

– Chloé, l'interrompit Jeremy. Regarde, là, dans le ciel. Nous avions oublié, avec toute cette précipitation. Là? Tu vois? C'est la lune bleue. La seconde pleine lune du mois. Tu vois? C'est vraiment la lune bleue!

– Je la vois, chuchota Chloé. Le bourdonnement... il augmente. Tu l'entends?

– Oui, fit-il, les yeux fixés au ciel.

Sans rien dire de plus, osant à peine respirer, ils contemplèrent le lever de la lune bleue. Elle semblait de plus en plus grosse, de plus en plus brillante, et l'étrange bourdonnement mélodieux continuait. Le parking et tout le reste avait disparu.

Envahie d'un sentiment de paix, de satisfaction, Chloé observa la lune resplendissante, un doux sourire aux lèvres. C'était un sourire tranquille, plein de sagesse, serein.

Elle était amoureuse de Jeremy Harris. Ce fut soudain pour elle aussi clair que la brillante lune bleue. Le doute avait disparu, la certitude s'était installée.

116

Elle l'aimait.

Clignant des yeux pour s'assurer que la lune bleue était bien là, Jeremy écouta intensément le bourdonnement réconfortant. Il avait l'impression d'avoir chaud, cette chaleur venait du plus profond de lui-même, et était agréable, pas du tout inconfortable.

« La lune bleue, songea-t-il, je la vois vraiment dans toute sa splendeur, avec la femme que j'aime. »

Avec un rapide coup d'œil sur Chloé, il se raidit, puis regarda de nouveau la lune bleue.

Il était amoureux de Chloé Barlow! Véritablement amoureux. Plus de doutes, plus de questions. Il savait qu'il l'aimait. Et c'était merveilleux.

– Chloé, chuchota-t-il. La légende de la lune bleue dit...

– Je sais, murmura-t-elle. Je ne croyais pas aux légendes ni aux contes de fées, mais maintenant...

– Chloé?

Au même moment, ils se tournèrent l'un vers l'autre, leurs regards se rencontrèrent, s'interrogèrent et trouvèrent ce qu'ils savaient maintenant être vrai.

– Je t'aime, Chloé Barlow. Je t'aime de tout mon cœur.

– Je t'aime, Jeremy Harris. Oh oui, Jeremy, je t'aime tant.

Lui prenant le visage entre les mains, il l'embrassa très doucement, respectueusement,

117

comme pour sceller leur engagement avec la lune bleue pour témoin.

Jamais auparavant ils n'avaient connu de moment semblable. Moment de serments muets et de sentiers ensoleillés qu'ils parcouraient ensemble. C'était une promesse de lendemains qui s'étendraient à l'infini. C'était un moment d'amour.

Lentement, le bourdonnement s'atténua avant de disparaître totalement, mais la chaleur qui les avait envahis resta. Ils reprirent conscience de l'endroit où ils étaient, des bruits de la ville et de la nuit qui les entourait. C'était comme s'ils s'étaient trouvés transportés en un lieu lointain, et en étaient revenus sains et saufs mais changés à jamais.

– Rentrons à la maison, dit doucement Jeremy.

– Oui, rentrons à la maison.

Sur un nouveau sourire, ils franchirent enlacés la courte distance qui les séparait de la voiture. Tous deux restèrent muets tandis que Jeremy manœuvrait.

– Chloé, dit-il enfin, je pense que j'avais tort de vouloir rester éloigné de toi. Après ce qui est arrivé à Butch, les choses prennent un autre éclairage.

– Bien. Je commençais à me fatiguer de cette dispute. Laissons tomber ce sujet.

– Non, pas exactement.

– Pas exactement ?

– En fait, j'adopte une vue entièrement opposée.

Après un bref coup d'œil vers elle, il dirigea de nouveau son attention sur la route.

– Je crois que nous devrions rester très proches l'un de l'autre.

– Ah? fit-elle, les sourcils levés.

– Parlons-en quand nous serons arrivés chez toi. J'ai besoin de me concentrer pour conduire dans cette circulation.

– Mmm, marmonna-t-elle, le front soucieux.

Une fois chez elle, Jeremy la prit dans ses bras pour l'embrasser intensément. Ses genoux tremblaient quand il la relâcha et elle dut s'asseoir sur le divan. S'installant près d'elle, il lui prit une main qu'il posa sur sa cuisse et l'y maintint.

La chaleur que dégageait Jeremy se propagea à travers tout son corps. Elle bougea légèrement pour se trouver en face de lui mais quand elle essaya de se libérer, il resserra son étreinte.

– Maintenant, venons-en au fait. C'est vraiment très simple. Je t'aime, tu m'aimes, nous sommes peut-être en danger à cause de moi, alors je vais te protéger. Je vais donc m'installer avec toi ici, jusqu'à ce que le mystère soit éclairci.

– Quoi!

– Ou tu peux emménager chez moi. Je suis facile à vivre. Choisis ce qui te convient le mieux. Plan A ou B? Tes désirs sont des ordres.

Sautant sur ses pieds, elle planta ses poings sur les hanches.

– Mon désir, monsieur Harris, est de te dire

où tu peux mettre ton plan ridicule. C'est absurde. Je ne vais pas aller habiter chez toi sur un caprice. Je suis « peut-être » en danger. Mildred Fairchild est « peut-être » derrière tout ça. Et pour ce genre de raison oiseuse, je suis censée me mettre en ménage avec toi, habiter avec toi? Ha! Si et quand je déciderai de vivre avec un homme, cher monsieur, je prendrai cette décision avec mon cœur. Pas avec ma tête. Et certainement pas sur un quelconque plan A ou B. Tu as vraiment du toupet, tu sais.

Il sauta lui aussi sur ses pieds.

— Tu n'es vraiment pas raisonnable. Il se peut que tu coures un danger. De plus, ce n'est pas comme si nous n'avions jamais – les yeux de Chloé se rétrécirent, sa bouche se crispa – dormi ensemble, acheva-t-il lamentablement.

Nerveusement, il se passa la main dans les cheveux.

— Je crois que je vais avoir des ennuis, fit-il.

— Sors d'ici. C'est le plan C, dit-elle, tranchante. Bonne nuit, Jeremy. C'est merveilleux de discuter avec toi. Maintenant, tu peux sortir de scène.

— Non, affirma-t-il en croisant les bras sur la poitrine.

— Non? Je suis chez moi. Je veux que tu t'en ailles. Tu ne peux pas dire non.

— Je viens de le faire et je peux recommencer. Non, je ne te laisserai pas seule, Chloé. Je t'aime, tu sais. Celui qui se cache derrière ces incidents se montre de plus en plus hardi. Je ne veux pas

120

courir le risque qu'il t'arrive quelque chose. Je vais devenir fou, chez moi.

— Eh bien, moi aussi, je me ferai du souci pour toi. Si nous sommes ensemble... Je crois que les bonnes raisons pour lesquelles je ne voulais rien entendre sont en train de m'échapper.

Après une pause, elle reprit :

— J'abandonne. Oui, tu as raison. J'accepte. Viens t'installer chez moi.

— Merci mon amour.

Ses lèvres effleurèrent les siennes.

— Chloé, c'est à cause de la lune bleue que nous sommes aussi proches. Je veux te tenir contre moi.

— Je le veux aussi, soupira-t-elle.

La soulevant dans ses bras, il la porta dans sa chambre.

Ils s'aimèrent lentement, sensuellement, chacun des deux repoussant le plus loin possible le moment d'extase qui les entraînerait au-delà de la réalité. Par des baisers, des caresses, ils explorèrent les mystères de leurs corps. Des lèvres et des mains, ils se cherchèrent, se provoquèrent. Ils se murmurèrent des mots tendres, se déclarèrent leur amour encore et encore, et lorsque le feu de la passion menaça de les consumer, ils ne firent plus qu'un.

Ils s'aimaient, s'étreignaient et la nuit était magique. Ils atteignirent ensemble les hauteurs de la passion. Toujours ensemble, ils regagnèrent la réalité.

Rassasiés, heureux, ils restèrent sans bouger, la tête sur le même oreiller, les mains enlacées, l'un contre l'autre.

— La légende de la lune bleue, murmura Chloé. C'était une belle lune, si grosse, si brillante, comme une balle d'argent.

— C'était vraiment très spectaculaire. Chloé, crois-tu à la légende, maintenant? Moi oui, en tout cas. J'étais tellement troublé, je me demandais si j'étais vraiment amoureux de toi, comment je pouvais en être sûr. Et puis j'ai vu la lune bleue et j'ai su que je t'aimais.

— Tout ce que tu viens de me dire, je l'ai éprouvé aussi. J'avais l'esprit confus mais quand j'ai regardé la lune bleue... Je t'aime, Jeremy. Le côté scientifique de mon cerveau soutient que les contes de fées et les légendes sont fausses, mais mon côté féminin sait ce que j'ai ressenti en voyant la lune bleue.

Il l'embrassa sur le front.

— Tous deux, nous avons notre lune bleue et sa légende. Je suppose que c'est idiot, mais j'aime bien penser que le lune bleue est à nous.

— Oui. J'aime bien cette idée aussi. Jeremy, reprit-elle après une pause, nous nous aimons, mais... eh bien ça ne résout pas automatiquement tous les problèmes.

— Je le sais. Chaque couple a des manies à combattre, parce que chacun a sa propre manière d'être. Je vous assure, madame, que je ne presse pas le tube de pâte dentifrice au milieu. Ça peut être un gros problème, tu sais.

On a vu des orages éclater pour des histoires de ce type. « Va-t'en, canaille, tu as encore pressé le tube au milieu. »

— Jeremy, je suis sérieuse. Ce qui m'inquiète, c'est ton attitude envers mon métier. Dès le moment où je t'ai vu, j'ai su que tu ne respectais pas ce que je faisais, ce que j'ai choisi comme profession. Ce soir, chez le vétérinaire, tu as entendu des choses qui, apparemment, t'ont surpris.

— Oui, c'est vrai. Je ne savais pas que le métier de psychologue recouvrait autant de choses. Tu sais, ce que tu fais avec les vétérans du Viêt-nam, tes théories qui concordaient avec ce que le psy de la police avait dit à Vince... mais...

— Mais?

— Bon sang, Chloé, il faut vraiment parler de ça cette nuit? Nous avons découvert que nous nous aimions, nous venons de nous aimer d'une façon incroyablement belle. Dormons maintenant, en nous concentrant là-dessus, d'accord? Nous nous occuperons du reste plus tard, tu verras. Mais pas cette nuit, tu veux bien?

— Entendu, souffla-t-elle doucement. C'est une nuit très spéciale. Tout peut attendre... pour l'instant.

— Bien, dit-il en l'embrassant. Dors bien, mon amour.

— Toi aussi. Je t'aime, Jeremy.

— Je t'aime énormément, Chloé.

Quelques minutes plus tard le rythme régulier de sa respiration apprit à Chloé qu'il dormait.

Elle fixa l'obscurité, consciente qu'elle ne sombrerait pas aussi facilement dans le sommeil.

« Il faut que je sois patiente » songea-t-elle.

Peu à peu, Jeremy découvrait son métier en profondeur, apprenait que c'était autre chose que du snobisme. Tout deviendrait clair pour lui, en son temps. Du temps et de la patience.

Sur un bâillement, elle se pelotonna contre lui, savourant la chaleur et la force de son corps. Comme elle l'aimait. Et quel bonheur de savoir que cet amour était partagé.

– Merci, lune bleue, chuchota-t-elle à l'obscurité avant de sombrer dans le sommeil.

8

En proie à un fort mal de tête, ce lundi après-midi, Chloé avait l'impression qu'une centaine de tambours lui battait contre les tempes. Après avoir avalé deux aspirines, elle s'appuya sur le dossier et ferma les yeux.

« Migraine due au stress » songea-t-elle, dépitée.

Un stress qu'elle avait laissé s'emparer d'elle. Pourtant, elle s'était adonnée à des exercices respiratoires de relaxation, s'était imaginée sur les côtes tranquilles d'une plage déserte, avec les vagues de l'océan qui venaient lui lécher doucement les jambes. Mais les tambours continuaient de battre, accroissant sa douleur.

Furieuse après elle-même d'avoir laissé le stress attenter à son bien-être, elle se révoltait aussi contre ce qui en était cause : Jeremy.

C'était comme s'il y avait en son corps et en son esprit deux Chloé Barlow agissant sur deux longueurs d'ondes différentes. L'une rayonnait de bonheur d'aimer pour la première fois et d'être aimée en retour par l'homme de son cœur.

Cette Chloé-là avait passé un merveilleux dimanche à traîner avec Jeremy, à s'aimer, à partager des heures glorieuses. Se fermant au monde extérieur, ils n'avaient accepté dans leur havre privé que la magie de la lune bleue.

Et puis, il y avait l'autre Chloé. Celle qui avait affleuré sous le bonheur et la joie, insistant pour qu'elle discute à fond avec Jeremy de son attitude envers son métier.

A plusieurs reprises, elle avait essayé d'aborder le sujet, mais avait été réduite au silence par un baiser fiévreux qui lui avait fait complètement oublier ce qu'elle était sur le point de dire. Après la troisième tentative, elle avait compris qu'il n'était pas prêt à en discuter durant les heures merveilleuses de ce dimanche.

Aussi le stress avait-il stagné sous la surface de son esprit, caché derrière son sourire, pour se manifester aujourd'hui sous forme d'un mal de tête lancinant.

« Ce soir, décida-t-elle, nous en discuterons. Il le faut. »

Lentement, elle se leva pour se diriger vers l'aquarium. Immobile, elle regarda le paresseux ballet des poissons jusqu'à ce que James l'informe de l'arrivée de son prochain patient. Avec un soupir las, elle afficha un sourire forcé tout en se rendant compte que les tambours n'avaient pas ralenti le moins du monde leur cadence forcenée.

A l'entrée dans le bureau d'un petit homme de trente-cinq ans environ, Jeremy releva la tête de sa planche à dessin.

– Ça y est, Jeremy. Vous pouvez vérifier les plans préliminaires que nous avons tracés, Clara et moi, pour le projet de crèche.

– Déroulez-les ici, Tim, répondit-il en poussant ses stylos et crayons.

Après avoir mis le papier à plat et en avoir lesté les coins avec un presse-papier, un pot à crayons et ses coudes, Jeremy examina le tracé complexe.

– Ça a l'air bon. Excellent.

– J'ai un centimètre, si vous voulez bien en tenir le bout. Je sais que vous voulez vérifier les mesures.

– Ce ne sera pas nécessaire. Ni vous ni Clara n'avez jamais dévié d'un millimètre. Il n'y a pas de raison que cela n'aille pas aujourd'hui.

– Vous plaisantez, fit Tim.

– Non. Cela s'appelle se déléguer, faire confiance aux gens que j'ai recrutés pour accomplir ce travail. Se déléguer réduit le stress. Timothy, je suis devenu la proie du stress et je corrige actuellement mes erreurs passées.

– Seigneur! s'esclaffa Tim. Vous parlez comme ma femme. Elle me rend fou avec ses dissertations là-dessus. Si seulement elle revenait à sa croisade... en faveur des bêtes sauvages! Maintenant, toutes les deux minutes, elle cite son psychologue et ça me crispe au plus haut point.

– Oh? fit Jeremy, sourcils froncés.

– Hier soir, Mary-Lou, ma femme, a annoncé au dîner qu'elle n'était pas seulement la femme de Tim et la mère de Jonathan, mais qu'elle était une personne, une femme. Je lui ai répondu que je ne l'avais jamais prise pour un setter irlandais et elle m'a envoyé de la purée à la figure. Tenez-vous bien. Je ne comprends pas qui elle est, ce que sont ses besoins profonds. Bon sang, je l'aime. Je ne peux pas imaginer la vie sans elle. Qu'attend-elle de moi ? Si seulement elle n'était pas allée voir ce psy. Un couple ami est allé le consulter et elle a suivi le mouvement. Pour 75 dollars de l'heure, je n'ai rien que des plaintes quand je rentre à la maison. Il devrait y avoir une loi contre ces types-là, qui emplissent de bêtises la tête des femmes. Vous ne croyez pas, Jeremy ?

– Eh bien, je...

– Je sais que vous êtes d'accord parce que vous disiez la même chose quand vous fréquentiez Gina Je-ne-sais-qui. Vous disiez qu'elle était incapable de tenir une conversation au-delà de quelques minutes sans s'arrêter pour méditer ou faire je ne sais quoi, parce que son analyste lui avait conseillé de maintenir sa paix intérieure. Quelle sale engeance ! Et ils vous comptent un maximum pour servir de telles balivernes.

Après une pause, il reprit :

– Je n'avais pas l'intention de vous parler de cela. C'est juste que j'en ai par-dessus la tête, de Mary-Lou et de ses dernières inventions. Merci pour votre accord sur les plans. Je vais dire à Clara que nous sommes prêts à rouler.

Ramassant les épreuves, il quitta la pièce.

Une fois qu'il fut sorti, Jeremy se passa les mains sur le visage. Il se serait bien passé des théories de Tim.

128

Lentement, il se leva pour se diriger vers la large baie vitrée. Les mains appuyées contre la paroi de verre, il regarda la circulation passer en bas.

Il aimait Chloé et elle l'aimait. Les heures vécues ensemble depuis qu'ils avaient vu la lune bleue avaient été fantastiques et il ne les oublierait jamais. Il aurait voulu crier par-dessus les toits son amour pour Chloé Barlow. La femme.

Et le Dr Chloé Barlow?

« Bon sang, fulmina-t-il en silence, j'essaie de modifier mon attitude vis-à-vis de sa profession. »

Mais apparemment, on attendait de lui qu'il change toutes ses vues concernant les psychologues, les analystes, thérapeutes et autres. On ne lui offrait aucun compromis, aucun moyen terme. Il lui fallait soit franchir toute la distance soit lui dire adieu. Cette journée, il l'avait abordée avec la ferme détermination de se reprendre, de rejeter tous ses vieux préjugés et d'envisager les choses l'esprit ouvert. Et cela avait plutôt bien marché jusqu'à l'arrivée de Tim et son long monologue.

– La barbe, marmonna-t-il en s'éloignant de la vitre. Chloé va sûrement vouloir régler la question ce soir.

Déjà, il en éprouvait un nœud à l'estomac et un mal de tête lancinant qui laissait prévoir que la discussion ne se passerait pas bien du tout. Il se refusait à lui mentir, et ce qu'il avait à lui dire n'était pas ce qu'elle voulait entendre. Il l'aimait, pourtant. Pourquoi n'était-ce pas assez? Pourquoi sa propre personne et son amour ne lui suffisaient-ils pas?

Le téléphone sonna, l'arrachant à l'écheveau de ses pensées. Il traversa la pièce pour décrocher brusquement.

— Oui.

— Vince Santini, sur la première, annonça la secrétaire.

— Merci, répondit-il en appuyant sur le bouton correspondant. Vince? Comment va la vie dans le crime et l'adversité?

— Gentiment, répondit Vince. En fait, j'ai des nouvelles intéressantes que je peux maintenant décider de ne pas partager avec toi. Le crime et l'adversité? Est-ce une façon de parler de notre bonne vieille ville? Quelle honte!

Jeremy éclata de rire.

— Je vous demande humblement pardon, lieutenant. Quelles sont les nouvelles?

Le ton de Vince se fit sérieux pour répondre.

— Le collier de Butch est arrivé comme prévu. On l'a trouvé dans une grande enveloppe déposée sur un banc à la réception. Mon nom y était inscrit encore une fois en lettres découpées. Les hommes du déminage ont déjà dû faire leur travail dessus, mais je savais que ce serait le collier du chien.

— Accompagné d'une lettre?

— Non. J'ai aussi d'intéressantes nouvelles de Mildred Fairchild.

— Oh? fit Jeremy en s'asseyant sur la chaise derrière le bureau.

— Le médecin de l'hôpital m'a appelé. Il a eu un coup de téléphone de Linda, la sœur de Mildred. Linda lui a raconté que sa belle-mère venait d'avoir une crise cardiaque, et qu'elle et son mari avaient dû se rendre à son chevet à Chicago. Elle avait donc demandé à Mildred de retarder son voyage en Floride. Depuis leur retour, il y a trois jours, elle n'a pas pu joindre Mildred au téléphone, à aucun moment du jour ni de la nuit. Elle est très inquiète à son sujet.

— Tu veux dire que Mildred n'a jamais quitté Los Angeles?

— C'est ce qu'il semble. J'ai demandé un mandat de perquisition de son domicile pour vérifier si elle s'y est rendue, et pour voir si je peux trouver le poison utilisé pour Butch. Depuis que j'ai mis sa maison sous surveillance, elle n'y est pas allée.

— Penses-tu obtenir le mandat de perquisition?

— Je passerai par le toit, si je ne peux pas. C'est pour une juste cause et j'ai rempli leurs formulaires en trois exemplaires. Ce qui me sidère avec ces mandats, c'est que ce soit tellement subjectif. Si ça atterrit sur le bureau d'un juge qui s'est disputé avec sa femme au petit déjeuner, il est fichu de refuser toute requête. C'est son opinion contre la mienne, selon son humeur. Curieux système, Jeremy. Il faut absolument que je pénètre dans cette maison, mon vieux, et de toi à moi, j'ai bien l'intention de le faire.

— Magnifique! Un lieutenant de police arrêté pour avoir pénétré par effraction chez un particulier.

— Il faut bien que je fasse ce que j'ai à faire.

– Vince, c'est comme si tu demandais à être flanqué à la porte de la police. Je sais bien que tu en as assez de la paperasserie et de la politique interne, mais ne fais pas de bêtises.

– On verra. Écoute. Reste aussi près que possible de Chloé. J'ai de mauvais pressentiments pour toute cette affaire. Je ne sais pas, rien ne se met en place dans mon esprit. Quelque chose ne va pas et je ne peux pas mettre le doigt dessus.

– Crois-moi, je ne quitterai pas Chloé des yeux. Vince, je... Je l'aime. Je suis amoureux pour de bon. Et elle m'aime.

– Hé, c'est magnifique. J'en suis heureux pour toi. Chloé est quelqu'un de bien. Je me demande seulement pourquoi elle a choisi un dingue comme toi, enfin, permettons-lui un ou deux défauts. A propose de défauts, tu t'es remis les idées en place à propos de son métier?

– J'essaie, Vince. Mais les arguments ne font que me tourner dans la tête, sans rien de concret à quoi m'accrocher. J'apprends quelque chose de positif, et puis deux faits négatifs viennent tout remettre en question.

– Pas bon, ça.

– Il y a aussi une part de moi qui se rebiffe. Pourquoi devrais-je changer mon opinion à cent pour cent? Et les compromis?

– Sur ce sujet? Pas question. C'est tout ou rien, Jeremy. Ou bien tu acceptes et respectes le métier de Chloé, ou bien tu sors de sa vie.

– Diable!

– C'est la ligne de base, vieux frère. Je dois te

quitter. Je te tiens au courant pour Mildred Fairchild et tout ce qui arrivera de nouveau. Entre-
temps, fais attention à toi et veille sur ta dame.

– Garanti! Merci de m'avoir informé, Vince. A
bientôt.

Lentement, il replaça le récepteur et se pinça la
base du nez.

Sa migraine le tuait. Il fallait qu'il se concentre
sur autre chose que cette douleur croissante.

Son regard se posa sur une petite enveloppe,
sur le tas de courrier dispersé sur son bureau. Il
l'ouvrit pour en tirer une carte illustrée d'une
coupe de champagne. Il la retourna pour la lire.

– Ca alors!

En entrant chez elle, Chloé retira ses chaussures et s'assit en soupirant sur le divan. Son mal
de tête n'avait pas diminué. Tout en regardant son
courrier, elle songea qu'elle allait prendre un bon
bain, se faire une tasse de thé et se coucher.

Mais Jeremy allait arriver d'une minute à
l'autre et ce serait folie de repousser la discussion
qu'elle devait avoir avec lui. Il ne suffisait pas
d'ignorer le problème pour qu'il disparaisse. Ce
soir, migraine ou pas, elle en débattrait avec lui.

Au moment où elle trouvait une petite enveloppe parmi les factures et les publicités, elle
entendit la clé dans la serrure.

– Salut, dit-elle en souriant.

– Salut.

Il traversa la pièce pour lui effleurer les lèvres.

– Comment vas-tu?

– Bien, à part un mal de crâne épouvantable, répondit-elle en ouvrant l'enveloppe.

– Ça doit être le jour. J'en ai un carabiné.

– Une coupe de champagne? fit-elle en regardant la carte.

Un sourire se dessina sur ses lèvres tandis qu'elle lisait :

– Oh, Jeremy, c'est magnifique.

Il tira la même carte de la poche de sa veste.

– J'en ai une aussi. La belle affaire! Bill Cooper organise un cocktail demain soir à 8 heures. Sur le coup, j'ai été surpris, puis je me suis rappelé qu'il avait toujours aimé recevoir.

– C'est pourquoi c'est magnifique. Tu ne comprends pas. C'est la première invitation qu'il lance depuis la mort de Jeff.

Jeremy passa les doigts sur son front douloureux. Il sentait littéralement monter en lui la colère, la sentait prête à éclater. S'efforçant à la patience, il tâcha de trouver un calme qui s'ingéniait à lui échapper

– Oui, poursuivit catégoriquement Chloé, c'est un point très positif. C'est peut-être un tournant pour Bill, le signal qu'enfin il tente de dépasser son chagrin.

Le battement dans le crâne de Jeremy augmenta tandis que sa colère s'extériorisait.

– Pour l'amour du ciel, Chloé, faut-il que tu analyses ainsi tous les gestes? Il ne s'agit que de vider un verre ou deux en grignotant des amuse-gueule. Mais ça signifie que Bill fait une grande percée émotionnelle par rapport à son état de désespoir depuis la mort de son fils?

– Jeremy, que...

– Écoute, l'interrompit-il. J'enfile ma chaussette droite, puis ma chaussure droite. Ma chaussette gauche, puis ma chaussure gauche. La plupart des gens mettent déjà leurs chaussettes, puis leurs chaussures. Dites-moi, ô toute-puissante psychologue, dans quel chapitre du livre en parle-t-on? Quelles belles petites remarques vas-tu m'envoyer à la figure sur mon moi profond, à cause de ma façon d'enfiler chaussettes et chaussures? Hein? Dis-moi!

Chloé blêmit.

– Tu vois ça comme une plaisanterie, n'est-ce pas? Mon métier, ma carrière. Cette partie de moi-même, c'est une plaisanterie. Malgré ce que tu as entendu chez le vétérinaire, tu n'as pas bougé d'un centimètre. Tu crois que je joue avec des snobs.

Jambes tremblantes, elle refoula ses larmes.

– J'essaie, pourtant. J'essaie de comprendre ce que tu fais, mais ça n'a pas de sens pour moi. Ça ne compte donc pas que je sois l'homme qui t'aime? Cela compte-t-il pour rien? Je le crois. Tu attends, tu guettes les signaux qui te diront que je t'accepte autant comme psychologue que comme femme. C'est moi qui dois changer, sinon c'est la fin de notre liaison. Mais bon sang, je t'aime. Cela devrait tout de même valoir quelque chose.

– Je t'en prie, Jeremy, toi, l'homme qui m'aime. L'homme qui est fier de ce qu'il a accompli. Tu ne serais pas le Jeremy Harris que je connais, si tu te considérais comme un raté, si ton amour-propre était en miettes, si...

– Arrête de parler comme un psy !

– Mais je ne parle pas comme un psy! J'essaie simplement de te faire comprendre que chacun de nous forme un tout, constitué de ce qu'il a fait, vu, appris. On ne peut pas éplucher les gens comme on retire des cartes de son jeu, en choisissant ce qu'on veut garder et ce dont on veut se séparer. Tu aimes Chloé Barlow, la femme, mais je ne serai pas cette femme si je n'étais pas aussi psychologue. Enfin, Jeremy, tu ne comprends donc pas? L'amour est absolu, total, accepte tout de l'autre. Oh, Jeremy, tu ne comprends pas? acheva-t-elle sur un demi-sanglot.

– Mon Dieu, je n'en sais rien, je ne peux plus réfléchir, dit-il en se pressant les paumes des mains sur les tempes. Pourquoi n'est-ce pas suffisant de t'aimer? Pourquoi diable l'amour est-il si compliqué? J'ai besoin d'être seul un moment, je crois. Oh, je n'en sais rien!

Pivotant sur ses talons, il se dirigea vers la porte.

– Jeremy, non, ne t'en va pas, s'écria-t-elle en essuyant les larmes de ses joues. On n'en viendra pas à bout si l'on n'en discute pas ensemble. Tout notre avenir est en jeu.

– Crois-tu que je ne m'en rende pas compte? répliqua-t-il en ouvrant grand la porte. Je t'aime, Chloé, mais ce que je ne comprends pas, c'est que mon amour ne te suffise pas. Voilà. Pour ce soir, j'en ai assez. Ferme la porte à clé et ne laisse entrer personne. Vince est convaincu que Mildred Fairchild erre dans les parages. Je reviendrai plus tard m'assurer que tout va bien. Ne reste pas debout à m'attendre.

– Jeremy, je t'en prie, ne...

La porte claqua derrière lui.

– Oh, Jeremy, murmura-t-elle, je t'aime tant. Nous trouverons les réponses. Nous les trouverons, n'est-ce pas?

Trébuchant jusqu'à sa chambre, elle se jeta sur son lit et pleura toutes les larmes de son corps et de son âme.

Le triste écho résonnait dans la pièce, noyant le doux bourdonnement qui, peut-être, aurait pu apaiser un peu la douleur de ce cœur brisé.

En entrant dans son bureau, Jeremy tendit automatiquement la main vers l'interrupteur puis hésita. Glissant les poings dans ses poches, il laissa la pièce dans l'obscurité pour se diriger vers la baie vitrée. Il tira les rideaux et regarda en bas, maussade. De là, les voitures ressemblaient à des jouets d'enfants.

Pourquoi se trouvait-il seul dans ce bureau, en proie à un mal de tête lancinant et à des brûlures d'estomac, alors qu'il aurait voulu être avec Chloé? La tenir dans ses bras, l'embrasser, l'aimer. Mais il avait laissé libre cours à sa colère et à sa déception, et le prix qu'il devait en payer était cette solitude de quelques heures dans son bureau désert.

En examinant la pièce, le contour des meubles qui se découpaient dans l'obscurité, il comprit que tout cet ensemble n'était plus suffisant. Lui et

Jeff avaient concentré là le plus clair de leur énergie, puis il avait doublé ses efforts à la mort de son ami Il avait fait ce qu'il fallait pour que Harris et Cooper soient les meilleurs et le restent. Il le devait à Jeff, parce que..

Jurant à voix basse, il se tourna de nouveau vers la vitre pour regarder dehors.

Chloé, se souvint-il, avait insisté sur le fait qu'il ne devait rien à Jeff, que son ami avait été responsable des actes. Si cela était vrai, il n'y avait pas de raison qu'il s'éreinte à travailler autant. Pourquoi ne pas prendre un nouvel associé et recommencer à mener une existence normale pour pouvoir partager des heures de loisir avec Chloé. Chloé. Chloé la femme, et Chloé la psychologue. Un tout à prendre. Ou à laisser.

Soudain, les nuages s'écartèrent, et comme si elle avait su que Jeremy serait son spectateur, la lune bleue se montra. En la regardant, il crut entendre de nouveau cet étrange bourdonnement. Puis il l'oublia en se remémorant tout ce qu'il avait vécu jusqu'à présent avec Chloé.

— Dis donc, ma jolie, as-tu des réponses à me donner ? Je suis amoureux, et me voilà seul ici.

La lune sembla briller plus intensément tandis qu'il continuait à la regarder, oublieux de toute notion de temps.

Contempler les poissons la rendit soudain malade à en avoir la nausée. Dans son bureau pimpant, sa majesté la reine des psychologues

138

regardait d'un air maussade ces créatures à l'œil rond qui ne faisaient rien de plus que nager d'un côté et de l'autre, ouvrant et fermant la gueule. Ce n'était pas reposant, c'était ridicule.

Ces poissons ne résoudraient pas ses problèmes avec Jeremy, elle le savait bien. Ils ne lui feraient pas non plus oublier cette longue et misérable nuit passée sans lui. Des heures après son départ, elle l'avait entendu rentrer, mais il ne l'avait pas rejointe dans la chambre. Épuisée, elle avait fini par s'endormir en l'imaginant étendu sur le divan. Quand elle s'était réveillée, à l'aube, il était déjà parti.

« Oh, Jeremy, songea-t-elle en enveloppant ses bras autour d'elle, les larmes au bord des cils, je t'aime tant, je voudrais tant être avec toi aussi souvent que possible. Rire, parler, faire des projets, t'aimer. Je voudrais... »

Les yeux fixés sans le voir sur l'aquarium, elle se raidit.

« Je voudrais... Je voudrais... Je voudrais... »

Les mots cognaient dans son esprit tandis qu'une poigne glacée se refermait sur son cœur.

« Médecin, soigne-toi d'abord » se dit-elle, lamentablement.Là, était la réponse.

Peut-être se construisait-elle un avenir solitaire, peut-être avait-elle perdu l'amour de Jeremy Harris, parce qu'elle avait demandé que leur liaison fût parfaite. Qu'elle fût exactement comme elle l'entendait.

Jeremy devait s'incliner ou s'en aller.

Et la nuit dernière, il s'en était allé, vaincu, fatigué, troublé, parce qu'elle lui avait dit qu'il n'était pas à la hauteur. Il avait essayé de comprendre, de saisir son métier. Il avait essayé de le pénétrer, de l'accepter et de le respecter comme elle le lui avait inflexiblement intimé.

« Mais pour qui te prends-tu, docteur Chloé Barlow ? » fulmina-t-elle silencieusement.

— Mon Dieu, fit-elle en secouant la tête.

Avait-elle parlé une seule fois à Jeremy de son métier ? Non. S'était-elle documentée sur la lutte qu'il avait dû mener pour gravir les échelons du succès ? Le temps qu'il avait mis pour connaître son prestige actuel ? Non. Avait-elle découvert quelles maisons, quels immeubles il avait dessinés ? Non.

Elle avait été bien trop occupée à lui dire ce qu' « elle voulait ».

Et en plein milieu de l'un de ses caprices, Jeremy avait franchi la porte de l'appartement. Et la porte de sa vie ?

« Oh, non, je t'en prie, non » supplia-t-elle intérieurement.

Elle avait tellement de torts. S'était montrée si exigeante. Elle aurait pu lui raconter sur son travail tant de choses qu'il ne connaissait pas, lui donner une multitude d'exemples de bon résultats qui auraient contrebalancé le mauvais tableau qu'il s'en faisait.

— Arrêtez de tourner, bon sang de sort, lança-t-elle aux poissons. Vous avez l'air complètement idiots.

Lentement, elle marcha à son bureau pour s'asseoir sur le fauteuil.

Du temps. Voilà ce qu'il fallait à Jeremy. Du temps et de la patience pour qu'il comprenne vraiment son métier. Et elle lui laisserait tout le temps qu'il lui faudrait. Montrerait une patience infinie. De son côté, elle ferait les mêmes efforts pour explorer et découvrir tout ce qu'était Harris et Cooper, architectes. Pas à pas, ils avanceraient ensemble.

S'il n'était pas trop tard.

Avec un soupir tremblant, elle avala la boule qui lui bloquait la gorge. D'un coup d'œil, elle consulta sa montre. Bientôt 5 heures. Durant toute cette longue et hideuse journée, elle avait eu du mal à oublier Jeremy pour se concentrer sur ses patients.« Quand le reverrai-je? » se demanda-t-elle.

Rentrerait-il à l'appartement ce soir? Non. Pourquoi irait-il là où il savait qu'on lui demanderait des choses déraisonnables?

La sonnerie du téléphone la fit sursauter, l'arrachant à la confusion de ses pensées. Appuyant sur le bouton clignotant, elle décrocha le récepteur.

– Oui, James?

– M. Harris est là. Vous n'avez plus de rendez-vous pour aujourd'hui. Est-ce que je le fais entrer?

« Jeremy est là? Il est venu? Pourquoi? Pour dire au revoir? Non! » pensa-t-elle, paniquée.

– Allô?

– Euh, oui James. faites entrer M. Harris. Merci.

La main tremblante, elle raccrocha. Jeremy était là.

– Chloé.

Le cœur battant, elle leva la tête vers lui. Il était là, sur le seuil, magnifique. Et très fatigué.

– Jeremy, je...

Si seulement ses genoux ne se dérobaient pas.

Si seulement elle ne portait pas son tailleur noir et son chemisier blanc à l'ancienne, très bon chic bon genre. Ce matin, elle avait attrapé la première chose qui s'était présentée, mais regrettait maintenant son choix. Elle aurait voulu paraître féminine et jolie, de façon que ce soit Chloé la femme qui s'adresse à Jeremy.

Comme il refermait la porte derrière lui, elle sortit de derrière son bureau. Tous deux s'arrêtèrent, séparés par la longueur d'une pièce.

– Il faut que je te parle, dit Jeremy d'une voix basse. Je ne suis pas venu discuter de mon niveau de stress.

Déboutonnant sa veste, il fourra les poings dans ses poches de pantalon.

– Oui, moi aussi, il faut que je te parle, répondit Chloé, consciente du peu d'assurance de sa voix. Veux-tu t'asseoir?

– Non.

– Oh...

Elle recula d'un pas pour s'appuyer contre son bureau.

– Jeremy, je...

– C'est moi qui suis venu te voir. Cela me donne le droit de parler en premier, d'accord?

– Vas-y.

– Je n'aurais pas dû te laisser, hier soir, Chloé.

142

Je le regrette. J'avais promis à Vince de veiller sur toi et...

– Je n'ai pas besoin de baby-sitter, répondit-elle calmement en essayant sans succès de lire sur son visage le fond de sa pensée.

– J'aurais tout de même dû rester.

Après une pause, il reprit :

– J'ai beaucoup réfléchi, la nuit dernière, avec la lune bleue pour compagnie. Mon esprit passait d'une chose à l'autre et s'est posé un instant sur mes parents, la vie à la maison quand j'étais petit. Mon père était conducteur de bus et ma mère vendeuse dans une bijouterie.

Sortant la main de la poche, il fit un geste dans l'air.

– Ce n'est pas très original. Mais chaque soir, au dîner, ils racontaient ce qu'ils avaient vu durant la journée. J'adorais ces histoires. Mon père décrivait les gens qui avaient pris son bus – une fois, imagine, il y a eu un type avec ses deux gardes du corps – et ma mère parlait d'une ravissante actrice de cinéma qui s'était acheté une grosse émeraude pour aller avec sa nouvelle robe. Ils avaient des centaines d'histoires. Maintenant, je me rends compte que chacun respectait la profession que l'autre avait choisie.

– Jeremy...

– Laisse-moi finir. Je nous ai imaginés tous deux à table. Que pourrions-nous dire à part commenter le temps ? Si je te proposais d'aller voir un immeuble que j'ai conçu, tu ne saurais pas de quoi je parle. Si tu disais que tu avais rendu le sourire à un adolescent malheureux, je ne comprendrais pas l'importance de l'affaire. Alors que ferions-nous ? Nous regarderions l'heure afin de guetter le moment d'aller au lit, car il n'y a que là que nous sommes proches et vraiment capables d'exprimer notre amour. Ce n'est pas suffisant, hein ?

— Non.

— Chloé, après t'avoir quittée, j'ai compris que je souhaitais que tu t'intéresses à Harris et Cooper, architectes. Je voudrais pouvoir te montrer ce que j'ai fait. Et je veux comprendre aussi ce que tu fais là, toute la journée. Je sais que ça va au-delà des types comme moi qui se tuent au travail ou des femmes blasées qui s'ennuient.

— Oh oui, Jeremy, beaucoup plus.

— Et à un moment, au milieu de la nuit, l'évidence m'a frappé, comme une brique entre les deux yeux. Tu as pris le temps et l'énergie, et utilisé ton savoir-faire pour me donner ma vie, comme un cadeau bien emballé. Tu as vu, tu as compris, et tu m'as expliqué que je travaillais trop à cause d'une fausse culpabilité vis-à-vis de Jeff. Je t'ai entendue, mais je ne t'ai pas écoutée... jusqu'à hier soir. Maintenant, tout est clair. Toi, Chloé la psychologue, tu m'as éclairci les choses. Si je te respecte ? Je ne sais pas comment te le dire. Je te respecte, tout entière. Je te le jure, Chloé Barlow.

— Oh, chuchota-t-elle, les yeux mouillés de larmes.

— Tu es si chaleureuse et attentive et quand

nous nous aimons, tu t'offres totalement. Tu as tout laissé tomber pour courir voir ton père quand il t'a appelé pour Butch. Tu as laissé parler tes sentiments.

Il remit les mains dans les poches.

— Parce que tu es ainsi. Et beaucoup plus. Tu es la femme que j'aime. Et toi, tu aimes avec tout ce que tu possèdes en toi. C'est ce que tu me donnes, et à tes malades aussi, n'est-ce pas?

— Oh oui, Jeremy, fit-elle, la voix brisée par l'émotion. Je ne t'ai pas laissé assez de temps, eu assez de patience. Je suis désolée, Jeremy. J'avais tort et j'espère que tu me pardonneras. Je t'aime tant. Nous avons beaucoup à nous apporter, l'un à l'autre, beaucoup à apprendre l'un de l'autre. Et quand nous serons dans les bras l'un de l'autre, cela aura encore plus de sens.

— Je sais que maintenant, je suis Jeremy Harris, de Harris et Cooper, architectes, et que tu es le Dr Chloé Barlow, psychologue. J'étais borné et j'en suis désolé. Je t'aime, Chloé, entièrement.

Il lui tendit les bras.

— Viens. J'ai besoin de te sentir contre moi. Oh, Chloé, je ne veux pas te perdre.

La force avec laquelle elle se jeta dans ses bras le fit chanceler. Les mains autour de son cou, elle enfouit son visage contre lui en essayant d'arrêter ses larmes.

Des secondes s'écoulèrent sans qu'ils bougent. La chaleur de l'amour remplaçait la solitude glaciale qu'ils venaient de connaître.

Cette chaleur devint bientôt un brasier. Elle

leva la tête, il baissa la sienne pour trouver ses lèvres.

Les seins de Chloé semblaient gonfler, avides du contact de Jeremy et de sa chaleur. Un liquide de feu circulait dans ses veines.

Sentant toute maîtrise lui échapper, Jeremy ne pensait plus qu'à l'aimer, sceller leur engagement par cette union intime qui réaffirmerait la promesse de leur avenir commun.

Il releva la tête. leurs yeux se rencontrèrent.

– Je te désire. Je te veux toute à moi. Mais pas ici, sourit-il, pas devant ces poissons qui nous regardent.

– Ils sont trop jeunes pour apprendre tout cela, rétorqua-t-elle. Jeremy, poursuivit-elle sérieusement, rentrons à la maison. Je t'aime.

– Moi aussi. Et avant la fin de la nuit nous aurons une discussion sérieuse sur notre mariage, nos enfants, quatre, cinq ou six, etc. Mais d'abord, nous nous aimerons. Cette vieille lune bleue s'est surpassée!

– Notre légende personnelle. Nous la raconterons à nos enfants.

– Oui. Pouvons-nous y aller, maintenant?

– Oui, monsieur. Oh, je me rappelle, tout à coup. Nous sommes invités chez Bill Cooper, ce soir.

– Pas avant 8 heures. Cela nous laisse beaucoup de temps. Du temps pour l'amour. Ai-je l'air d'un obsédé?

– Oui, et ça me plaît beaucoup. Ne perdons plus de temps ici.

Étonné, mais très intéressé, James les vit passer, enlacés, devant son bureau. Avec un petit geste de la main, Chloé lui souhaita une bonne soirée. Le sourire aux lèvres, il les regarda sortir.

Jeremy ferma la porte de l'appartement, les coupant ainsi du monde. Puis il tendit les bras vers la femme qu'il aimait.

Ils étaient ensemble et ils connurent l'extase, au-delà de leurs rêves les plus fous.

9

TOUT en faisant glisser son chemisier de soie
bleu pâle dans son pantalon blanc, Chloé regarda
Jeremy se peigner, un tendre sourire aux lèvres.

« C'est comme si nous étions mariés » se dit-
elle.

Après s'être magnifiquement aimés, ils se pré-
paraient maintenant pour la soirée chez Bill.

– N'attache pas tes cheveux, demanda Jeremy.
Rencontrant son regard dans la glace, elle sourit.

– Bien sûr. Moi aussi, je les préfère comme ça.
Je devrais peut-être les faire couper?

– Non! Tes cheveux sont merveilleux. Quand
ils glissent sur moi lorsque... Bon, ce n'est pas le
moment de parler de ça.

La sonnerie du téléphone interrompit l'éclat de
rire de Chloé. Elle traversa la pièce pour décrocher.

– C'est le veilleur de nuit de l'immeuble où
vous avez votre bureau, fit son correspondant.
Votre aquarium ne fonctionne pas comme d'habitude. J'ai pensé qu'il fallait vous prévenir.

– Oh, merci. J'apprécie votre conscience professionnelle.

– Vous allez venir vérifier?

– Oui, j'arrive. Au revoir.

Lentement, elle raccrocha, sourcils froncés.

– Un problème?

– Non, l'aquarium de mon bureau fonctionne mal. Il s'agit sans doute d'un caillou dans le filtre. Ça me prendra une minute de le remplacer. Ce qui m'étonne, c'est que le veilleur de nuit m'ait appelée. Je ne savais pas qu'il avait la clé du bureau.

– Le gérant de l'immeuble a dû te le dire. Il n'aurait pas autorisé le veilleur à entrer dans les bureaux sans en informer les locataires.

– Ça n'a pas d'importance. En tout cas, il faut passer à mon bureau avant d'aller chez Bill.

– Votre carrosse vous attend, madame, rétorqua-t-il en la prenant dans ses bras pour un baiser somptueux. Prête? ajouta-t-il en la relâchant.

Ne pouvant prononcer un mot, elle hocha la tête et le suivit.

Dans l'entrée de l'immeuble, Chloé jeta un coup d'œil circulaire.

– Je ne vois pas le veilleur.

En haut, elle alluma la réception puis son bureau et fronça les sourcils devant l'aquarium.

– Le filtre fonctionne bien. Tu vois? Tout est normal.

– Il s'est peut-être arrêté puis est reparti.

– C'est possible, je n'y connais pas grand-chose.

— C'est en ordre, maintenant, alors allons-y. Bill va nous attendre.

— Ne vous inquiétez pas. Bill est venu, fit une voix.

Les deux jeunes gens firent demi-tour. Bill Cooper traversait lentement la pièce, un sourire aux lèvres. Et un revolver à la main.

— Mon Dieu, s'exclama-t-elle, que faites-vous, Bill ? Pourquoi pointez-vous une arme sur nous ?

— Vous n'êtes pas très douée pour reconnaître au téléphone une voix déguisée, Chloé.

— Vous vous êtes fait passer pour le veilleur de nuit pour me faire venir ici ?

— Pas vous. Jeremy. Je vous avais suivie pour être sûr qu'il était bien avec vous. Et maintenant il est là. J'avais pris la précaution d'envoyer deux invitations, comme ça, si je n'avais pas pu vous faire venir ici, je vous aurais eus chez moi. C'est mieux ainsi. Il n'y aura pas de lien entre moi et ce qui va se passer.

— Que voulez-vous dire ? demanda Jeremy.

— Le rideau va enfin tomber. Et Mildred Fairchild aura son nom en grand dans les journaux. J'ai tout prévu dans les moindres détails. Jeremy Harris, vous allez payer pour la mort de mon fils. Sans vous, il serait encore en vie. C'est vous qui l'avez tué !

— Ce n'était pas moi qui conduisais, hurla Jeremy.

— Non, ne discute pas avec lui, lui conseilla Chloé.

— Vous l'avez tué. C'est vous qui l'avez poussé à

150

devenir architecte au lieu de médecin. Vous avez tout gâché, vous me l'avez enlevé. Un médecin n'aurait pas risqué sa vie en voiture, parce que trop de gens comptent sur lui, dépendent de lui. Vous l'avez dévié de sa voie, altéré ses valeurs, tout. Vous l'avez tué.

— Mais il est fou, marmonna-t-il à Chloé.

— Oui, chuchota-t-elle. Fais attention, ne le mets pas en colère.

— Quelle patience j'ai montrée, depuis deux ans, reprit Bill. Il m'a fallu attendre que Mildred sorte de l'hôpital. Entre-temps, j'ai joué mon rôle à la perfection : j'ai eu l'air content d'accepter le poste inutile que vous aviez créé pour moi, j'ai montré un intérêt paternel pour votre état dépressif, le mentionnant à votre secrétaire, vos relations. Personne ne me soupçonnera jamais. Dommage que la fille de mon cher ami Jack doive mourir aussi, mais je n'y peux rien. Mildred ne va pas bien. Elle cherche à se venger de la mort de sa fille.

— Qu'avez-vous fait à Mildred?

— Disons que je l'ai invitée chez moi.

— C'est vous qui avez pénétré chez Jeremy, dit Chloé, empoisonné Butch, envoyé le collier à Vince Santini?

— Moi? Oh, non, s'esclaffa-t-il. C'est Mildred. Vous voyez comme je suis intelligent d'avoir attendu qu'elle revienne? On la chargera de tout, y compris de la mort des gens qu'elle a menacés, il y a deux ans. Bien sûr, elle se suicidera. Je voulais seulement tuer Jeremy, mais vous en savez trop, Chloé. En fait, c'est lui qui vous tue, comme il a tué Jeff.

— Bill, coupa-t-elle, d'une voix tremblante, il y a quelque chose que vous devriez savoir.

— Quoi donc ma chère? s'étonna-t-il.

— Il y a quelques années, Jeff est venu me voir pour un long entretien qu'il m'avait fait promettre de garder secret. Voyez-vous, petit garçon, il rêvait déjà d'être médecin.

Jeremy se raidit. Il avait cru apercevoir une ombre dans le couloir. Était-ce un effet de son imagination?

— Oui, acquiesça Bill, vigoureusement.

— Il voulait être votre associé. Vous étiez son idole, il vous adorait. Pour lui, vous étiez le plus grand médecin qui ait jamais existé. Mais il craignait de ne pas être à la hauteur, ne supportait pas l'idée de vous décevoir. Il savait ce que vous aviez misé sur lui.

— Il était intelligent. Quel médecin il aurait fait!

— Vous le lui avez répété toute sa vie. Il a eu peur de ne pas réussir brillamment et pour ne pas tromper l'espérance de son père, il s'est détourné de la médecine.

— Que... Que dites-vous?

— Bill, vous n'auriez pas dû placer la barre si haut.

« Continue, Chloé. Quelle femme! » pensa Jeremy.

De nouveau, il vit l'ombre. C'était sûr, il y avait quelqu'un dans le couloir.

— Chloé? Vous ne voulez pas dire que c'est ma faute, hein? C'est Jeremy qui me l'a enlevé.

– Non, Bill, corrigea-t-elle doucement. Jeff s'est tourné vers Jeremy parce qu'il ne savait pas vers qui aller. Il est entré dans cet univers parce que vous l'avez terrifié. Profondément troublé, il est venu me voir pour essayer de tirer les choses au clair. Son rêve de devenir médecin était hors de portée.

Un gémissement sortit des lèvres de Bill, puis une sorte de sanglot qui sembla lui déchirer l'âme.

– Nooon!

Le revolver trembla dans sa main. Soudain, Vince fit irruption et bondit sur le vieil homme. Tous deux roulèrent à terre. L'arme vola sous une chaise. Bill s'effondra en sanglotant, la tête dans les mains.

– C'est fini, dit Vince en regardant les deux jeunes gens. C'est un pauvre homme malade.

– Tu as été merveilleuse, incroyable, s'exclama Jeremy en prenant Chloé dans ses bras. Tu es la meilleure psychologue de la ville, de l'État... du monde! Oh, s'il t'était arrivé quelque chose, j'en tremble encore, je...

– D'accord, mais lâche-moi, je ne peux plus respirer.

– Tout va bien pour vous? demanda Vince après avoir passé les menottes à Bill.

– Oui, répondit Chloé, juste choqués. Quel cauchemar! J'ai mal pour Bill quand je pense dans quel tunnel il vivait depuis la mort de Jeff.

– Jeff était vraiment venu te voir?

– Oui. Tout ce que j'ai dit à Bill était vrai. Jeff

153

n'était pas malheureux de travailler avec toi, mais ce n'était pas son rêve.

– Il ne m'en a jamais touché mot.

– Même si vous étiez de bons amis, il n'est pas parvenu à en parler avec toi. Au fil du temps, il a essayé de se noyer dans une vie trépidante.

– Incroyable!

Décrochant le téléphone, Vince donna des instructions pour faire venir une ambulance. Après quoi, il se tourna vers Chloé et Jeremy.

– Vous avez fait un travail fantastique, Chloé. Vous avez gardé votre sang-froid et tenu les choses en main. Vous ne voulez pas entrer dans la police?

– Non, coupa Jeremy. Santini, explique plutôt pourquoi tu t'es trouvé là.

– J'ai obtenu le mandat pour perquisitionner chez Mildred Fairchild. Elle est vraiment allée chez elle. Mais ce que j'y ai découvert m'a énormément inquiété. Apparemment, elle en était partie brusquement..

– Que voulez-vous dire?

– Il y avait sur la table une tasse de café à moitié pleine et une assiette de gâteaux. A côté une lettre non terminée qu'elle écrivait à son médecin pour lui dire combien elle était heureuse de se retrouver chez elle. Elle s'était arrêtée au milieu d'une phrase. Mais le plus étonnant, c'est que son sac était ouvert sur une chaise. Combien de femmes quittent la maison sans leur sac à main?

– Très peu en effet. D'après une expérience tentée sur un campus universitaire où l'alerte au feu a été déclenchée en pleine nuit, cent pour cent des étudiantes ont pris leur sac à main avant de quitter les lieux.

— Tu sais des choses incroyables, s'étonna Jeremy.

— Bien. En tout cas, j'ai continué de faire surveiller la maison de Mildred. Elle y est revenue en fin d'après-midi après avoir réussi à forcer le verrou de la chambre où l'avait enfermée Bill depuis qu'il l'avait obligée à venir chez lui. Elle avait peur que personne ne croie son histoire, à cause de son passé. Après avoir fait un tour chez Bill, je n'ai plus eu de doutes. J'y ai trouvé, en particulier, le poison utilisé pour Butch.

— Mais comment as-tu su que nous étions là?

— Je suis passé chez toi, puis chez Chloé, puis ici. Je serais allé ensuite à ton bureau et si je ne vous y avais pas trouvés, je vous aurais attendus sur le pas de la porte. Mildred m'en avait suffisamment raconté pour que je vous sache en danger. Maintenant, vous feriez mieux de rentrer vous reposer.

— Nous pouvons attendre l'ambulance avec vous, Vince, offrit Chloé.

— Non, rentrez.

Jeremy regarda Bill Cooper, recroquevillé sur le sol en position fœtale.

— J'ai encore du mal à y croire.

— Il recevra toute l'aide dont il a besoin, dit Chloé. Mon père y veillera.

— Partez, maintenant. A demain, insista Vince.

Chloé l'embrassa sur la joue.

155

– Merci Vince, Bonne nuit.

– N'embrasse pas ces Italiens. ils ont le sang chaud, tu sais. Au revoir, Vince, fit Jeremy.

Juste après leur départ, la sirène d'une ambulance déchira le silence. Vince se pencha sur Bill Cooper et posa la main sur l'épaule du vieil homme

Le soir suivant, Jeremy prit Chloé par la main, alors qu'ils traversaient un pré luxuriant. Une multitude d'étoiles brillaient au-dessus d'eux tandis que les fleurs des champs embaumaient.

– Un pique-nique le soir. Quelle jolie surprise romantique, Jeremy.

– J'ai décidé que tout ce qui était sur ma planche à dessin pouvait attendre demain.

– Bien. Tu prends ton stress en main. La lune bleue a l'air d'être finie, ajouta-t-elle en regardant le ciel.

– Nous n'en avons plus besoin, rétorqua-t-il en étendant une couverture par terre.

– C'est vrai. Sa magie a opéré pour nous. Je me demande pour qui sera sa prochaine visite.

– Je ne sais pas. Oh, ce que je rirais, si Vince subissait le même charme. Il est tellement certain qu'il ne vivra jamais de liaison sérieuse avec une femme! Allez, assieds-toi et regarde tout ce que j'ai apporté.

Ils mangèrent tout leur content de poulet, de salade de pommes de terre, d'olives et de gâteaux au chocolat.

– Je n'en peux plus, déclara Chloé en se renversant sur la couverture. C'était délicieux.

Jeremy s'allongea auprès d'elle. Appuyé sur un coude, il pencha la tête vers elle pour un rapide baiser.

— Tu es encore meilleure que le chocolat, fit-il.

Elle lui passa les bras autour du cou et insista :

— Meilleure que la glace au chocolat?

— Oui, tu la dépasses de loin.

— Comme c'est charmant, dit-elle en riant. Embrasse-moi, Jeremy.

— Avec plaisir.

Et il l'embrassa. Une passion brûlante remplaça leur humeur badine. Les braises incandescentes étaient prêtes à se transformer en feu dévorant à la moindre provocation : un regard, un contact, un tendre murmure.

— Je te désire, Chloé. Il n'y a personne ici, que les étoiles. Laisse-moi t'aimer.

— Oui. Oh oui, Jeremy. Je te désire aussi. Je t'aime tant.

Avec une impatience incontrôlable, ils se débarrassèrent de leurs vêtements. Les lèvres et les mains embrassaient et caressaient tandis que les cœurs s'emballaient et que la passion croissait.

— Jeremy, viens en moi, murmura Chloé.

— Oui, oui.

Sous le ciel argenté, ils ne firent plus qu'un. En un rythme égal, ils partagèrent l'acte intime qui proclamait leur amour à jamais. Au bord de l'extase, ils vacillèrent puis s'élancèrent au-delà de la réalité pour danser parmi les étoiles.

Les fleurs des champs les accueillirent au retour de leur voyage.

— Oh, Jeremy, c'était si beau.

Il passa les doigts dans la chevelure soyeuse.

— Oui, c'était très beau.

Après une pause, il reprit.

— Chloé, je crois que je dois t'avouer quelque chose.

— Oui?

— Ce pré, c'est celui des trèfles à quatre feuilles.

Elle éclata de rire.

— Non! Celui-là même où le mignon petit Jeremy Harris a été conçu?

— Celui-là même!

— Tu avais prévu cela, hein?

— Moi? fit-il, toute innocence.

— Oh, espèce de démon. Je t'aime tant. J'espère que la magie des trèfles à quatre feuilles fonctionnera pour nous comme pour tes parents.

— Moi aussi et... écoute, entends-tu? C'est ce bourdonnement qui s'est élevé lorsque nous avons vu la lune bleue pour la première fois. Il a commencé quand nous avons parlé de la magie des trèfles.

— Oui. Je l'entends. C'est si joli. Étrange mais joli. C'est... Je ne sais pas. C'est comme s'il s'agissait d'une musique magique qui se manifeste seulement lorsqu'il se passe quelque chose de magique. Ce que je dis a-t-il un sens quelconque?

— Un sens merveilleux, dit Jeremy en prenant possession de ses lèvres.

Le bourdonnement continua quelques moments de plus puis sembla s'éloigner, comme s'il partait à la recherche des prochains bénéficiaires de la magie...

LA COMPOSITION, L'IMPRESSION ET LE BROCHAGE DE CE LIVRE
ONT ÉTÉ EFFECTUÉS PAR LA SOCIÉTÉ NOUVELLE FIRMIN-DIDOT
MESNIL-SUR-L'ESTRÉE
POUR LE COMPTE DES PRESSES DE LA CITÉ
EN DÉCEMBRE 1990

Imprimé en France
Dépôt légal : janvier 1991
N° d'impression : 15695